Mircea Eliade

Aspects
du mythe

nrf

Gallimard

Avant-propos

Ce petit livre a été écrit pour la collection « World Perspective » (Éditions Harper, New York), que dirige Ruth Nanda Anshen. C'est assez dire qu'il s'adresse d'abord au grand public cultivé. Nous y avons repris et développé diverses observations présentées dans nos ouvrages antérieurs. Nous ne pouvions pas envisager une analyse exhaustive de la pensée mythique.

Cette fois encore, notre cher et savant ami le Dr Jean Gouillard a assumé la revision du texte français. Qu'il soit assuré de notre profonde reconnaissance.

Mircea Eliade.

Université de Chicago.
Avril 1962.

CHAPITRE PREMIER

La structure des mythes.

L'IMPORTANCE DU « MYTHE VIVANT »

Depuis plus d'un demi-siècle, les savants occidentaux ont situé l'étude du mythe dans une perspective qui contrastait sensiblement avec, disons, celle du XIXe siècle. Au lieu de traiter, comme leurs prédécesseurs, le mythe dans l'acception usuelle du terme, i. e. en tant que « fable », « invention », « fiction », ils l'ont accepté tel qu'il était compris dans les sociétés archaïques, où le mythe désigne, au contraire, une « histoire vraie » et, qui plus est, hautement précieuse parce que sacrée, exemplaire et significative. Mais cette nouvelle valeur sémantique accordée au vocable « mythe » rend son emploi dans le langage courant assez équivoque. En effet, ce mot est utilisé aujourd'hui aussi bien dans le sens de « fiction » ou d' « illusion » que dans le sens, familier surtout aux ethnologues, aux sociologues et aux historiens des religions, de « tradition sacrée, révélation primordiale, modèle exemplaire ».

On insistera plus tard sur l'histoire des différentes significations que le terme « mythe » a revêtues dans le monde antique et chrétien (cf. ch. VIII-IX). Tout le monde sait que depuis Xénophane (environ 565-470) — qui, le premier, a critiqué et rejeté les expressions « mythologiques » de la divinité utilisées par Homère et Hésiode — les Grecs ont progressivement vidé le *mythos* de toute valeur religieuse et métaphysique. Opposé aussi bien à *logos* que, plus tard, à *historia*, *mythos* a fini par dénoter tout « ce qui ne peut pas exister réellement ». De son côté, le judéo-christianisme rejetait dans le domaine du « mensonge » et de l' « illusion » tout ce qui n'était pas justifié ou validé par un des deux Testaments.

Ce n'est pas dans ce sens (d'ailleurs le plus usuel dans le langage courant) que nous entendons le « mythe ». Plus précisément, ce n'est pas le stade mental, ou le moment historique, où le mythe est devenu une « fiction » qui nous intéresse. Notre recherche portera en premier lieu sur les sociétés où le mythe est — ou a été jusqu'à ces derniers temps — « vivant », en ce sens qu'il fournit des modèles pour la conduite humaine et confère par là même signification et valeur à l'existence. Comprendre la structure et la fonction des mythes dans les sociétés traditionnelles en cause, ce n'est pas seulement élucider une étape dans l'histoire de la pensée humaine, c'est aussi mieux comprendre une catégorie de nos contemporains.

Pour nous limiter à un exemple, celui des « cargo cults » de l'Océanie, il serait difficile d'interpréter toute une série d'agissements insolites sans faire appel à leur justification mythique. Ces cultes prophétiques et millénaristes proclament l'imminence d'une ère fabuleuse d'abondance et de béatitude. Les indigènes seront de nouveau les maîtres dans leurs îles et ils ne travailleront plus, car les morts vont revenir dans de magnifiques navires chargés de marchandises, pareils aux cargos géants que les Blancs accueillent dans leurs ports. C'est pourquoi la plupart de ces « cargo cults » exigent, d'une part, la destruction des animaux domestiques et de l'outillage, et d'autre part la construction de vastes magasins où seront déposées les provisions apportées par les morts. Tel mouvement prophétise l'arrivée du Christ sur un bateau de marchandise ; un autre attend l'arrivée de l' « Amérique ». Une nouvelle ère paradisiaque commencera et les membres du culte deviendront immortels. Certains cultes impliquent également des actes orgiastiques, car les interdits et les coutumes sanctionnés par la tradition perdront leur raison d'être et feront place à la liberté absolue. Or, tous ces actes et ces croyances s'expliquent par *le mythe de l'anéantissement du Monde suivi d'une nouvelle Création et de l'instauration de l'Age d'Or*, mythe qui nous retiendra plus loin.

Des faits similaires se sont produits, en 1960, au Congo à l'occasion de l'indépendance du pays. Dans tel village les indigènes ont enlevé les toits des cases pour laisser passer les pièces d'or que feraient pleuvoir les ancêtres. Ailleurs, dans l'abandon général, seuls les chemins menant au cimetière ont été entretenus pour permettre aux ancêtres d'atteindre le village. Les excès orgiastiques eux-mêmes avaient un sens, puisque, selon le mythe, au jour de l'Ere Nouvelle, toutes les femmes appartiendront à tous les hommes.

Très probablement, des faits de ce genre deviendront de plus en plus rares. On peut supposer que le « comportement mythique » disparaîtra à la suite de l'indépendance politique des anciennes colonies. Mais ce qui se passera dans un avenir plus ou moins lointain ne nous aidera pas à comprendre ce qui vient de se passer. Ce qui nous importe avant tout, c'est de saisir le sens de ces conduites étranges, de comprendre la cause et la justification de ces excès. Car les comprendre, cela équivaut à les reconnaître en tant que faits humains, faits de culture, création de l'esprit — et non pas irruption pathologique des instincts, bestialité ou enfantillage. Il n'y a pas d'autre alternative : ou bien on s'efforce de nier, minimiser ou oublier de tels excès, en les considérant comme des cas isolés de « sauvagerie », qui disparaîtront tout à fait, lorsque les tribus seront « civilisées » ; ou bien on se donne la peine de comprendre les antécédents mythiques qui expliquent, justifient des excès de ce genre et leur confèrent une valeur religieuse. Cette dernière attitude est, à notre sentiment, la seule qui mérite d'être retenue. C'est uniquement dans une perspective historico-religieuse que des conduites pareilles sont susceptibles de se révéler en tant que faits de culture et perdent leur caractère aberrant ou monstrueux de jeu enfantin ou d'acte purement instinctif.

Toutes les grandes religions méditerranéennes et asiatiques disposent de mythologies. Mais il est préférable de ne pas amorcer l'étude du mythe en partant, disons, de la mythologie grecque, ou égyptienne, ou indienne. La majorité des mythes grecs ont été racontés et, par conséquent, modifiés, articulés, systématisés, par Hésiode et Homère, par les rhapsodes et les mythographes. Les traditions mythologiques du Proche-Orient et de l'Inde ont été soigneusement réinterprétées et élaborées par les théologiens et les ritualistes respectifs. Non, certes, que 1º ces Grandes Mythologies aient perdu leur « substance mythique » et ne soient plus que des « littératures », ou 2º que les traditions mythologiques des sociétés archaïques n'aient pas été remaniées par des prêtres et des bardes. Tout comme les Grandes Mythologies qui ont fini par se transmettre par des textes écrits, les mythologies « primitives », que les premiers voyageurs, missionnaires et ethnographes ont connues au stade oral, ont une « histoire » ; autrement dit, elles ont été transformées et enrichies au cours des âges, sous l'influence d'autres cultures supérieures, ou grâce au génie créateur de certains individus exceptionnellement doués.

Cependant, il est préférable de commencer par l'étude du mythe dans les sociétés archaïques et traditionnelles, quitte à aborder plus tard les mythologies des peuples qui ont joué un rôle important dans l'histoire. Ceci parce que, malgré leurs modifications au cours du temps, les mythes des « primitifs » reflètent encore un état primordial. Il s'agit, au surplus, de sociétés où les mythes sont encore vivants, où ils fondent et justifient tout le comportement et toute l'activité de l'homme. Le rôle et la fonction des mythes sont susceptibles (ou l'ont été jusqu'à ces derniers temps) d'être minutieusement observés et décrits par les ethnologues. A propos de chaque mythe, aussi bien que de chaque rituel, des sociétés archaïques, il a été possible d'interroger les indigènes et d'apprendre, au moins en partie, les significations qu'ils leur accordent. Evidemment, ces « documents vivants » enregistrés au cours des enquêtes menées sur place ne résolvent point toutes nos difficultés. Mais ils ont l'avantage, considérable, de nous aider à poser correctement le problème, c'est-à-dire à situer le mythe dans son contexte socio-religieux originel.

ESSAI D'UNE DÉFINITION DU MYTHE

Il serait difficile de trouver une définition du mythe qui soit acceptée par tous les savants et soit en même temps accessible aux non-spécialistes. D'ailleurs, est-il même possible de trouver *une seule* définition susceptible de couvrir tous les types et toutes les fonctions des mythes, dans toutes les sociétés archaïques et traditionnelles ? Le mythe est une réalité culturelle extrêmement complexe, qui peut être abordée et interprétée dans des perspectives multiples et complémentaires.

Personnellement, la définition qui me semble la moins imparfaite, parce que la plus large, est la suivante : le mythe raconte une histoire sacrée ; il relate un événement qui a eu lieu dans le temps primordial, le temps fabuleux des « commencements ». Autrement dit, le mythe raconte comment, grâce aux exploits des Êtres Surnaturels, une réalité est venue à l'existence, que ce soit la réalité totale, le Cosmos, ou seulement un fragment : une île, une espèce végétale, un comportement humain, une institution. C'est donc toujours le récit d'une « création » : on rapporte comment quelque chose a été produit, a commencé à *être*. Le mythe ne parle que de ce qui est arrivé *réellement*, de ce qui s'est pleinement manifesté. Les personnages des mythes sont des Êtres Surnaturels. Ils sont connus surtout par ce qu'ils ont fait dans le temps prestigieux des « commencements ». Les mythes révèlent donc leur activité créatrice et dévoilent la sacralité (ou simplement la « sur-naturalité ») de leurs œuvres. En somme, les mythes décrivent les diverses, et parfois dramatiques, irruptions du sacré (ou du « sur-naturel ») dans le Monde. C'est cette irruption du sacré qui *fonde* réellement le Monde et qui le fait tel qu'il est aujourd'hui. Plus encore : c'est à la suite des interventions des Êtres Surnaturels que l'homme est ce qu'il est aujourd'hui, un être mortel, sexué et culturel.

On aura l'occasion de compléter et de nuancer ces quelques indications préliminaires, mais il importe de souligner, sans attendre, un fait qui nous semble essentiel : le mythe est considéré comme une histoire sacrée, et donc une « histoire vraie », parce qu'il se réfère toujours à des *réalités*. Le mythe cosmogonique est « vrai » parce que l'existence du Monde est là pour le prouver ; le mythe de l'origine de la mort est également « vrai » parce que la mortalité de l'homme le prouve, et ainsi de suite.

Du fait que le mythe relate les *gesta* des Êtres Surnaturels et la manifestation de leurs puissances sacrées, il devient le modèle exemplaire de toutes les activités humaines significatives. Lorsque le missionnaire-ethnologue C. Strehlow demandait aux Australiens Arunta pourquoi ils célébraient certaines cérémonies, on lui répondait invariablement : « Parce que les ancêtres l'ont ainsi prescrit [1]. » Les Kai de la Nouvelle-Guinée refusaient de modifier leur manière de vivre et de travailler, et ils s'en expliquaient : « C'est ainsi qu'ont fait les Nemu (les Ancêtres mythiques) et nous faisons de la même façon [2]. » Interrogé sur la raison de tel détail d'une cérémonie, le chanteur Navaho répondait : « Parce que le Peuple saint le fit de cette manière la première fois [3]. » Nous trouvons exactement la même justification dans la prière qui accompagne un rituel tibétain primitif : « Comme il a été transmis depuis le début de la création de la terre, ainsi nous devons sacrifier (....). Comme nos ancêtres firent

1. C. Strehlow, *Die Aranda- und Loritja-Stämme in Zentral-Australien*, vol. III, p. 1 ; cf. Lucien Lévy-Bruhl, *La mythologie primitive* (Paris, 1935), p. 123. Voir aussi T. G. H. Strehlow, *Aranda Traditions* (Melbourne University Press, 1947), p. 6.
2. Ch. Keysser, cité par Richard Thurnwald, *Die Eingeborenen Australiens und der Südseeinsels* (Religionsgeschichtliches Lesebuch, 8, Tübingen, 1927), p. 28.
3. Clyde Kluckhohn, « Myths and Rituals : A General Theory » (*Harvard Theological Review*, vol. XXXV, 1942, pp. 45-79), p. 66. Cf. *Ibid.* d'autres exemples.

dans les temps anciens, ainsi nous faisons aujourd'hui [1]. » C'est aussi la justification invoquée par les théologiens et les ritualistes hindous. « Nous devons faire ce que les dieux ont fait au commencement. » (*Satapatha Brâhmana*, VII, 2, 1, 4.) « Ainsi ont fait les dieux ; ainsi font les hommes. » (*Taittiriya Brâhmana*, 1, 5, 9, 4 [2].)

Comme nous l'avons montré ailleurs [3], même les conduites et les activités profanes de l'homme trouvent leurs modèles dans les gestes des Êtres Surnaturels. Chez les Navaho, « les femmes sont tenues de s'asseoir les jambes sous elles et de côté, les hommes les jambes croisées devant eux, parce qu'il est dit qu'au commencement la Femme changeante et le Tueur de monstres se sont assis dans ces positions [4]. » Selon les traditions mythiques d'une tribu australienne, les Karadjeri, toutes leurs coutumes, tous leurs comportements ont été fondés, dans le « Temps du Rêve », par deux Êtres Surnaturels, Bagadjimbiri (par exemple, la manière de cuire telle graine ou de chasser un animal à l'aide d'un bâton, la position spéciale qu'on doit prendre pour uriner, etc. [5]).

Inutile de multiplier les exemples. Comme nous l'avons montré dans *Le Mythe de l'Éternel*

---

1. Mathias Hermanns, *The Indo-Tibetans* (Bombay, 1954), pp. 66 sq.
2. Voir M. Eliade, *Le Mythe de l'Éternel Retour* (Paris, 1949), pp. 44 sq. (*The Myth of the Eternal Return*, New York, 1954, pp. 21 sq.)
3. Le Mythe de l'Éternel Retour, pp. 53 sq.
4. Clyde Kluckhohn, *op. cit.*, p. 61, citant W. W. Hill, *The Agricultural and Hunting Methods of the Navaho Indians* (New Haven, 1938), p. 179.
5. Cf. M. Eliade, *Mythes, rêves et mystères* (Paris, 1957), pp. 255-56.

Retour, et comme on le verra encore mieux par la suite, la fonction maîtresse du mythe est de révéler les modèles exemplaires de tous les rites et de toutes les activités humaines significatives : aussi bien l'alimentation ou le mariage, que le travail, l'éducation, l'art ou la sagesse. Cette conception n'est pas sans importance pour la compréhension de l'homme des sociétés archaïques et traditionnelles, et elle nous retiendra plus loin.

« HISTOIRE VRAIE » — « HISTOIRE FAUSSE »

Ajoutons que dans les sociétés où le mythe est encore vivant, les indigènes distinguent soigneusement les mythes — « histoires vraies » — des fables ou contes, qu'ils appellent « histoires fausses ».

Les Pawnee « font une distinction entre les « histoires vraies » et les « histoires fausses », et ils rangent parmi les histoires « vraies », en premier lieu, toutes celles qui traitent des origines du monde ; les acteurs en sont des êtres divins, surnaturels, célestes ou astraux. Tout de suite après viennent les contes qui rapportent les aventures merveilleuses du héros national, un jeune homme d'humble naissance, qui est devenu le sauveur de son peuple, en le délivrant de monstres, en l'arrachant à la famine ou à d'autres calamités, en accomplissant d'autres exploits nobles et bienfaisants. Viennent enfin les histoires qui ont rapport aux medicine-men et explique comment tel et tel sorcier a acquis les pouvoirs suprahumains, comment est née telle et telle association de chamans.

Les histoires « fausses » sont celles qui racontent les aventures et les exploits tout autres qu'édifiantes de Coyote, le loup de la prairie. Bref, dans les histoires « vraies » nous avons affaire au sacré et au surnaturel ; dans les « fausses », au contraire, à un contenu profane, car le coyote est extrêmement populaire dans cette mythologie comme dans les autres mythologies nord-américaines, où il apparaît sous les traits d'un truqueur, d'un fourbe, d'un prestidigitateur et d'un parfait coquin [1]. »

Pareillement, les Cherokees font la distinction entre les mythes sacrés (cosmogonie, création des astres, origine de la mort) et les histoires profanes, qui expliquent, par exemple, certaines curiosités anatomiques ou physiologiques des animaux. On retrouve la même distinction en Afrique ; les Héréro estiment que les histoires qui racontent les commencements des différents groupes de la tribu sont vraies, parce qu'elles rapportent des faits qui ont eu lieu *réellement*, tandis que les contes plus ou moins comiques n'ont aucune base. Quant aux indigènes de Togo, ils considèrent leurs mythes d'origine « absolument réels [2] ».

C'est la raison pour laquelle on ne peut pas raconter indifféremment les mythes. Chez beaucoup de tribus, ils ne sont pas récités devant les femmes ou les enfants, c'est-à-dire devant des non-initiés. Généralement, les vieux instructeurs communiquent les mythes aux néophytes, pendant leur période d'isolement

1. R. Pettazzoni, *Essays on the History of Religion* (Leiden, 1954), pp. 11-12. Cf. aussi Werner Müller, *Die Religionen der Waldlandindianer Nordamerikas* (Berlin, 1956), p. 42.

2. R. Pettazzoni, *op. cit.*, p. 13.

dans la brousse, et ceci fait partie de leur initiation. R. Piddington remarque à propos des Karadjeri : « Les mythes sacrés qui ne peuvent être connus des femmes se rapportent principalement à la cosmogonie, et surtout à l'institution des cérémonies d'initiation [1]. »

Tandis que les « histoires fausses » peuvent être racontées n'importe quand et n'importe où, les mythes ne doivent être récités que *pendant un laps de temps sacré* (généralement pendant l'automne ou l'hiver, et seulement la nuit [2]). Cette coutume s'est conservée même chez des peuples qui ont dépassé le stade archaïque de culture. Chez les Turco-Mongols et les Tibétains, la récitation des chants épiques du cycle Gesor ne peut avoir lieu que la nuit et en hiver. « La récitation est assimilée à un charme puissant. Elle aide à obtenir des avantages de toute sorte, notamment le succès à la chasse et à la guerre (...). Avant de réciter on prépare une aire saupoudrée de farine d'orge grillée. Les auditeurs sont assis autour. Le barde récite l'épopée pendant plusieurs jours. Autrefois, dit-on, on voyait alors les traces des sabots du cheval de Gesar sur cette aire. La récitation provoquait donc la présence réelle du héros [3]. »

1. R. Piddington, cité par L. Lévy-Bruhl, p. 115. Sur les cérémonies d'initiation, cf. Eliade, *Naissances mystiques* (Paris, 1959).
2. Voir des exemples dans R. Pettazzoni, *op. cit.*, p. 14, n. 15.
3. R. A. Stein, *Recherches sur l'épopée et le barde au Tibet* (Paris, 1959), pp. 318-319.

La distinction faite par les indigènes entre
« histoires vraies » et « histoires fausses » est
significative. Les deux catégories de narrations
présentent des « histoires », c'est-à-dire relatent une série d'événements qui ont eu lieu
dans un passé lointain et fabuleux. Bien que
les personnages des mythes soient en général
des Dieux et des Êtres Surnaturels, et ceux des
contes des héros ou des animaux merveilleux,
tous ces personnages ont ceci de commun : ils
n'appartiennent pas au monde de tous les
jours. Et pourtant, les indigènes ont senti qu'il
s'agit d' « histoires » radicalement différentes.
Car tout ce qui est relaté par les mythes *les
concerne directement*, tandis que les contes et
les fables se réfèrent à des événements qui,
même lorsqu'ils ont apporté des changements
dans le Monde (cf. les particularités anatomiques ou physiologiques de certains animaux),
n'ont pas modifié la condition humaine en tant
que telle [1].

En effet, les mythes relatent non seulement
l'origine du Monde, des animaux, des plantes
et de l'homme, mais aussi tous les événements
primordiaux à la suite desquels l'homme est
devenu ce qu'il est aujourd'hui, c'est-à-dire un

1. Évidemment, ce qui est considéré « histoire vraie » dans
une tribu peut devenir « histoire fausse » dans la tribu voisine.
La « démythisation » est un processus attesté déjà aux stades
archaïques de culture. Ce qui est important est le fait que les
« primitifs » sentent toujours la différence entre mythes (« histoires vraies ») et contes ou légendes (« histoires fausses »). Cf.
Appendice I (« Les mythes et les contes de fées »).

être mortel, sexué, organisé en société, obligé de travailler pour vivre, et travaillant selon certaines règles. Si le Monde *existe*, si l'homme *existe*, c'est parce que les Êtres Surnaturels ont déployé une activité créatrice aux « commencements ». Mais d'autres événements ont eu lieu après la cosmogonie et l'anthropogonie, et l'homme, *tel qu'il est aujourd'hui*, est le résultat direct de ces événements mythiques, *il est constitué par ces événements*. Il est mortel, parce que quelque chose s'est passé *in illo tempore*. Si cette chose n'était pas arrivée, l'homme ne serait pas mortel : il aurait pu exister indéfiniment, comme les pierres, ou il aurait pu changer périodiquement de peau, comme les serpents, et partant, il aurait été capable de renouveler sa vie, c'est-à-dire de la recommencer indéfiniment. Mais le mythe de l'origine de la mort raconte ce qui s'est passé *in illo tempore*, et en relatant cet incident il explique *pourquoi* l'homme est mortel.

Pareillement, une certaine tribu vit de la pêche, et ceci parce que, aux temps mythiques, un Être Surnaturel a enseigné à leurs ancêtres comment capturer et cuire les poissons. Le mythe raconte l'histoire de la première pêche, effectuée par l'Être Surnaturel, et ce faisant révèle à la fois un acte surhumain, enseigne aux humains comment l'effectuer à leur tour et, enfin, explique pourquoi cette tribu doit se nourrir de cette façon.

On multiplierait facilement les exemples. Mais ceux qui précèdent montrent déjà pourquoi le mythe est, pour l'homme archaïque, une question de la plus haute importance, tandis que les contes et les fables ne le sont pas. Le mythe lui apprend les « histoires » primordiales qui l'ont constitué existentiellement, et tout ce qui a rapport à son existence et à son propre mode d'exister dans le Cosmos le concerne directement.

On verra tout à l'heure les conséquences que cette conception singulière a eues pour la conduite de l'homme archaïque. Remarquons que, tout comme l'homme moderne s'estime constitué par l'Histoire, l'homme des sociétés archaïques se déclare le résultat d'un certain nombre d'événements mythiques. Ni l'un ni l'autre ne se considèrent « donné », « fait » une fois pour toutes, comme, par exemple, on fait un outil, d'une façon définitive. Un moderne pourrait raisonner de la façon suivante : je suis tel que je suis aujourd'hui parce qu'un certain nombre d'événements me sont arrivés, mais ces événements n'ont été possibles que parce que l'agriculture a été découverte il y a quelque 8 000-9 000 ans, et parce que les civilisations urbaines se sont développées dans le Proche-Orient antique, parce qu'Alexandre le Grand a conquis l'Asie et Auguste a fondé l'Empire Romain, parce que Galilé et Newton ont révolutionné la conception de l'Univers, en ouvrant la voie aux découvertes scientifiques et en préparant l'essor de la civilisation industrielle, parce que la Révolution Française a eu lieu et parce que les idées de liberté, de démocratie et de justice sociale ont bouleversé le monde occidental après les guerres napoléoniennes, et ainsi de suite.

De même, un « primitif » pourrait se dire : je suis tel que je suis aujourd'hui parce qu'une série d'événements ont eu lieu avant moi. Seulement, il doit immédiatement ajouter : des événements qui se sont passés *dans les temps mythiques*, qui, par conséquent, constituent une *histoire sacrée*, parce que les personnes du drame ne sont pas des humains, mais des Êtres Surnaturels. Davantage encore : tandis qu'un homme moderne, tout en se considérant le résultat du cours de l'Histoire universelle, ne se sent pas tenu de la connaître dans sa totalité, l'homme des sociétés archaïques non seulement est obligé de se remémorer l'histoire mythique de sa tribu, mais il en *réactualise* périodiquement une assez grande partie. C'est ici qu'on saisit la différence la plus importante entre l'homme des sociétés archaïques et l'homme moderne : l'irréversibilité des événements qui, pour ce dernier, est la note caractéristique de l'Histoire, ne constitue pas une évidence pour le premier.

Constantinople a été conquise par les Turcs en 1453 et la Bastille est tombée le 14 juillet 1789. Ces événements sont irréversibles. Sans doute le 14 juillet étant devenu la fête nationale de la République Française, on commémore annuellement la prise de la Bastille, mais on ne réactualise pas l'événement historique proprement dit [1]. Pour l'homme des sociétés archaïques, au contraire, ce qui s'est passé *ab origine* est susceptible de se répéter par la force des rites. L'essentiel est donc, pour lui, de connaître les mythes. Non seulement parce que les mythes lui offrent une explication du Monde et de son propre mode d'exister dans le Monde, mais surtout parce que, en se les remémorant, en les réactualisant, il est capable de répéter ce que les Dieux, les Héros ou les Ancêtres ont fait

1. Cf. *Mythes, rêves et mystères*, pp. 27 sq.

ab origine. Connaître les mythes, c'est apprendre le secret de l'origine des choses. En d'autres termes, on apprend non seulement comment les choses sont venues à l'existence, mais aussi où les trouver et comment les faire réapparaître lorsqu'elles disparaissent.

CE QUE VEUT DIRE « CONNAITRE LES MYTHES »

Les mythes totémiques australiens consistent le plus souvent dans la narration assez monotone des pérégrinations des ancêtres mythiques ou des animaux totémiques. On raconte comment, dans le « temps du rêve » (*alcheringa*) — c'est-à-dire dans le temps mythique — ces Êtres Surnaturels ont fait leur apparition sur la Terre et ont entrepris de longs voyages, s'arrêtant parfois pour modifier le paysage ou produire certains animaux et plantes, et finalement ont disparu sous la terre. Mais la connaissance de ces mythes est essentielle pour la vie des Australiens. Les mythes leur enseignent comment répéter les gestes créateurs des Êtres Surnaturels et, par conséquent, comment assurer la multiplication de tel animal ou de telle plante.

Ces mythes sont communiqués aux néophytes durant leur initiation. Ou plutôt, ils sont « célébrés », c'est-à-dire réactualisés. « Quand les jeunes hommes passent par les diverses cérémonies d'initiation, on célèbre devant eux une série de cérémonies qui, tout en étant représentées exactement comme celles du culte proprement dit — sauf certaines particularités caractéristiques — n'ont cependant pas pour but la multiplication et la croissance du totem dont il s'agit, mais ne visent qu'à montrer la façon de célébrer ces cultes à ceux que l'on va élever, ou qui viennent d'être élevés, au rang des hommes[1]. »

On voit donc que l' « histoire » narrée par le mythe constitue une « connaissance » d'ordre ésotérique, non seulement parce qu'elle est secrète et se transmet au cours d'une initiation, mais aussi parce que cette « connaissance » est accompagnée d'une puissance magico-religieuse. En effet, connaître l'origine d'un objet, d'un animal, d'une plante, etc., équivaut à acquérir sur eux un pouvoir magique, grâce auquel on réussit à les dominer, à les multiplier ou à les reproduire à volonté. Erland Nordenskiöld a rapporté quelques exemples particulièrement suggestifs des Indiens Cuna. Selon leurs croyances, le chasseur heureux est celui qui connaît l'origine du gibier. Et si l'on arrive à apprivoiser certaines bêtes, c'est parce que les magiciens connaissent le secret de leur création. De même, on est capable de tenir dans la main un fer rouge ou d'empoigner des serpents venimeux, à condition de connaître l'origine du feu et des serpents. Nordenskiöld raconte que « dans un village Cuna, Tientiki, se trouve un garçon de quatorze ans qui entre impunément dans le feu, uniquement parce qu'il connaît le charme de la création du feu. Perez a souvent vu des personnes saisir un fer rouge et d'autres apprivoiser des serpents [2]. »

1. C. Strehlow, *Die Aranda- und Loritja-Stämme*, III, p. 1-2 ; L. Lévy-Bruhl, *op. cit.*, p. 123. Sur les initiations de puberté en Australie, cf. *Naissances mystiques*, pp. 25 sq.
2. E. Nordenskiöld, « Faiseurs de miracles et voyants chez les Indiens Cuna » (*Revista del Instituto de Etnología*, Tucuman, vol. II, 1932), p. 464 ; Lévy-Bruhl, *op. cit.*, p. 118.

Il s'agit d'une croyance assez répandue et qui n'est pas propre à un certain type de culture. A Timor, par exemple, lorsqu'une rizière végète, quelqu'un qui connaît les traditions mythiques relatives au riz se rend dans le champ. « Il y passe la nuit dans la cabane de la plantation à réciter les légendes qui expliquent comment on est arrivé à posséder le riz (mythe d'origine)... Ceux qui font cela ne sont pas des prêtres [1]. » En récitant le mythe d'origine, on oblige le riz à se montrer beau, vigoureux et dru comme il était lorsqu'*il est apparu pour la première fois*. On ne lui rappelle pas comment il a été créé, afin de l' « instruire », de lui apprendre comment il doit se comporter. On le *force magiquement de retourner à l'origine*, c'est-à-dire de réitérer sa création exemplaire.

Le *Kalevala* raconte comment le vieux Väinämöinen se blessa gravement alors qu'il était occupé à construire une barque. Alors « il se mit à tisser des charmes à la manière de tous les guérisseurs magiques. Il chanta la naissance de la cause de sa blessure, mais il ne put se rappeler les mots qui racontaient le commencement du fer, les mots justement qui pouvaient guérir la brèche ouverte par la lame d'acier bleu ». Finalement, après avoir cherché l'aide d'autres magiciens, Väinämöinen s'écria : « Je me souviens maintenant de l'origine du fer ! » et il commença le récit suivant : l'Air est le premier parmi les mères. L'Eau est l'aînée des frères, le Feu est le second et le Fer est le plus jeune des trois. Ukko, le grand Créateur, sépara la Terre et l'Eau et fit apparaître le sol dans les

---

1. A. C. Kruyt, cité par Lévy-Bruhl, *op. cit.*, p. 119.

régions marines, mais le fer n'était pas encore né. Alors il frotta ses paumes sur son genou gauche. Ainsi naquirent les trois fées qui devinrent les mères du fer [1]. » Notons que, dans cet exemple, le mythe de l'origine du fer fait partie du mythe cosmogonique et en quelque sorte le prolonge. Nous tenons ici une note spécifique des mythes d'origine extrêmement importante, et dont l'étude viendra dans le chapitre suivant.

L'idée qu'un remède n'agit que si l'on en connaît l'origine est très répandue. Citons encore Erland Nordenskiöld : « Chaque chant magique doit être précédé d'une incantation qui parle de l'origine du remède employé, autrement il n'agit pas (...). Pour que le remède, ou le chant de remède fasse effet, il faut connaître l'origine de la plante, la manière dont elle fut enfantée par la première femme [2]. » Dans les chants rituels na-khi publiés par J. F. Rock, il est dit expressément : « Si l'on ne raconte pas l'origine du médicament, on ne doit pas l'utiliser [3]. » Ou : « A moins qu'on relate son origine, on ne doit pas parler de lui [4]. »

Nous verrons dans le chapitre suivant que, comme dans le mythe de Väinämöinen cité plus haut, l'origine des remèdes est intimement liée à la narration de l'origine du monde. Précisons néanmoins ici qu'il s'agit d'une conception

1. Aili Kolehmainen Johnson, *Kalevala. A Prose translation from the Finnish* (Hancock, Michigan, 1950), pp. 53 sq.
2. E. Nordenskiöld, « La conception de l'âme chez les Indiens Cuna de l'Isthme de Panama » (*Journal des Américanistes*, N. S., t. 24, 1932, pp. 5-30), p. 14.
3. J. F. Rock, *The Na-Khi Nâga Cult and related ceremonies* (Rome, 1952), vol. II, p. 474.
4. *Ibid.*, vol. II, p. 487.

générale qu'on peut formuler de la sorte : *on ne peut pas accomplir un rituel si on n'en connaît pas l'« origine », c'est-à-dire le mythe qui raconte comment il a été effectué pour la première fois.* Durant le service funéraire, le chaman na-khi, *dto-mba*, chante :

« *Nous allons maintenant accompagner le mort et connaître de nouveau le chagrin.*
Nous allons danser de nouveau et terrasser les démons.
Si l'on ne sait d'où vient la danse,
On ne doit pas en parler.
Si on ignore l'origine de la danse,
On ne peut pas danser » [1].

Cela rappelle étrangement les déclarations des Uitoto à Preuss : « Ce sont là les paroles (les mythes) de notre père, ses propres paroles. Grâce à ces paroles nous dansons, et il n'y aurait pas de danse s'il ne nous les avait données [2]. »

Dans la plupart des cas, il ne suffit pas de connaître le mythe de l'origine, il faut le réciter ; on proclame en quelque sorte sa science, on *la montre*. Mais ce n'est pas tout : en récitant ou en célébrant le mythe de l'origine, on se laisse imprégner de l'atmosphère sacrée dans laquelle se sont déroulés ces événements miraculeux. Le temps mythique des origines est un temps « fort », parce qu'il a été transfiguré par la présence active, créatrice des Êtres Surnaturels. En récitant les mythes on réintègre ce temps fabuleux et, par conséquent, on devient en quelque sorte « contemporain » des événements évoqués, on partage la présence des Dieux

1. J. F. Rock, *Zhi-mä funeral ceremony of the Na-khi* (Vienne Mödling, 1955), p. 87.
2. K. Th. Preuss, *Religion und Mythologie der Uitoto*, I-II (Göttingen, 1921-1923), p. 625.

ou des Héros. Dans une formule sommaire, on pourrait dire que, en « vivant » les mythes, on sort du temps profane, chronologique, et on débouche dans un temps qualitativement différent, un temps « sacré », à la fois primordial et indéfiniment récupérable. Cette fonction du mythe, sur laquelle nous avons insisté dans *Le Mythe de l'Éternel Retour* (spécialement pp. 35 sq.), se dégagera mieux encore au cours des analyses qui vont suivre.

STRUCTURE ET FONCTION DES MYTHES

Ces quelques remarques préliminaires suffisent à préciser certaines notes caractéristiques du mythe. D'une façon générale on peut dire que le mythe, tel qu'il est vécu par les sociétés archaïques, 1° constitue l'Histoire des actes des Êtres Surnaturels ; 2° que cette Histoire est considérée absolument *vraie* (parce qu'elle se rapporte à des réalités) et *sacrée* (parce qu'elle est l'œuvre des Êtres Surnaturels) ; 3° que le mythe se rapporte toujours à une « création », il raconte comment quelque chose est venu à l'existence, ou comment un comportement, une institution, une manière de travailler ont été fondés ; c'est la raison pour laquelle les mythes constituent les paradigmes de tout acte humain significatif ; 4° qu'en connaissant le mythe, on connaît l' « origine » des choses et, par suite, on arrive à les maîtriser et à les manipuler à volonté ; il ne s'agit pas d'une connaissance « extérieure », « abstraite », mais d'une connaissance que l'on « vit » rituellement, soit en narrant cérémoniellement le mythe, soit en effectuant le rituel auquel il sert de justification ; 5° que, d'une manière ou d'une autre, on « vit » le mythe, dans le sens qu'on est saisi par la puissance sacrée, exaltante des événements qu'on remémore et qu'on réactualise.

« Vivre » les mythes implique donc une expérience vraiment « religieuse » puisqu'elle se distingue de l'expérience ordinaire, de la vie quotidienne. La « religiosité » de cette expérience est due au fait qu'on réactualise des événements fabuleux, exaltants, significatifs, on assiste de nouveau aux œuvres créatrices des Êtres Surnaturels ; on cesse d'exister dans le monde de tous les jours et on pénètre dans un monde transfiguré, auroral, imprégné de la présence des Êtres Surnaturels. Il ne s'agit pas d'une commémoration des événements mythiques, mais de leur réitération. Les personnes du mythe sont rendues présentes, on devient leur contemporain. Cela implique aussi qu'on ne vit plus dans le temps chronologique, mais dans le Temps primordial, le Temps où l'événement *a eu lieu pour la première fois*. C'est pour cette raison qu'on peut parler du « temps fort » du mythe : c'est le Temps prodigieux, « sacré », lorsque quelque chose de *nouveau*, de *fort* et de *significatif* s'est pleinement manifesté. Revivre ce temps-là, le réintégrer le plus souvent possible, assister de nouveau au spectacle des œuvres divines, retrouver les Êtres Surnaturels et réapprendre leur leçon créatrice est le désir qu'on peut lire comme en filigrane dans toutes les réitérations rituelles des mythes. En somme, les mythes révèlent que le Monde, l'homme et la vie ont une origine et une histoire surnaturelles, et que cette histoire est significative, précieuse et exemplaire.

On ne pourrait pas mieux conclure qu'en citant les passages classiques où Bronislav Malinowski avait essayé de dégager la nature et la fonction du mythe dans les sociétés primitives : « Envisagé dans ce qu'il a de vivant, le mythe n'est pas une explication destinée à satisfaire une curiosité scientifique, mais un récit qui fait revivre une réalité originelle, et qui répond à un profond besoin religieux, à des aspirations morales, à des contraintes et à des impératifs d'ordre social, et même à des exigences pratiques. Dans les civilisations primitives, le mythe remplit une fonction indispensable : il exprime, rehausse et codifie les croyances ; il sauvegarde les principes moraux et les impose ; il garantit l'efficacité des cérémonies rituelles et offre des règles pratiques à l'usage de l'homme. Le mythe est donc un élément essentiel de la civilisation humaine ; loin d'être une vaine affabulation, il est au contraire une réalité vivante, à laquelle on ne cesse de recourir ; non point une théorie abstraite ou un déploiement d'images, mais une véritable codification de la religion primitive et de la sagesse pratique (...). Tous ces récits sont pour les indigènes l'expression d'une réalité originelle, plus grande et plus riche de sens que l'actuelle, et qui détermine la vie immédiate, les activités et les destinées de l'humanité. La connaissance que l'homme a de cette réalité lui révèle le sens des rites et des tâches d'ordre moral, en même temps que le mode selon lequel il doit les accomplir [1]. »

1. B. Malinowski, *Myth in Primitive Psychology* (1926 ; reproduit dans le volume *Magic, Science and Religion*, New York, 1955, pp. 101-108).

CHAPITRE II

Prestige magique des « origines ».

MYTHES D'ORIGINE ET MYTHES COSMOGONIQUES

Toute histoire mythique relatant l'*origine* de quelque chose présuppose et prolonge la cosmogonie. Du point de vue de la structure, les mythes d'origine sont homologables au mythe cosmogonique. La création du Monde étant *la* création par excellence, la cosmogonie devient le modèle exemplaire pour toute espèce de « création ». Ceci ne veut pas dire que le mythe d'origine imite ou copie le modèle cosmogonique, car il ne s'agit pas d'une réflexion concertée et systématique. Mais toute apparition nouvelle — un animal, une plante, une institution — implique l'existence d'un Monde. Même lorsqu'il est question d'expliquer comment, à partir d'un état différent de choses, on est arrivé à la situation actuelle (par exemple, comment le Ciel s'est éloigné de la Terre, ou comment l'homme est devenu mortel), le « Monde » était déjà là, bien que sa structure fût différente, qu'il ne fût pas encore *notre* Monde. Tout mythe d'origine raconte et justifie une « situation nouvelle » — nouvelle dans le sens qu'elle n'était pas *dès*

33

le début du Monde. Les mythes d'origine prolongent et complètent le mythe cosmogonique : ils racontent comment le Monde a été modifié, enrichi ou appauvri.

C'est la raison pour laquelle certains mythes d'origine débutent par l'esquisse d'une cosmogonie. L'histoire des grandes familles et des dynasties tibétaines commence par rappeler comment le Cosmos a pris naissance d'un Œuf. « De l'essence des cinq éléments primordiaux, un grand œuf est sorti (...). Dix-huit œufs sont sortis du jaune de cet œuf. L'œuf du milieu d'entre ces dix-huit œufs, un œuf de conque, se sépara des autres. A cet œuf de conque, des membres poussèrent, puis les cinq sens, tout parfait, et il devint un jeune garçon d'une beauté tellement extraordinaire qu'il paraissait exaucer un vœu (*yid la smon*). Aussi l'appela-t-on le roi Ye-smon. La reine Tchu-lchag, son épouse, enfanta un fils capable de se transformer par magie, Dbang ldan [1]. » La généalogie se poursuit, racontant l'origine et l'histoire des divers clans et dynasties.

Les chants généalogiques polynésiens débutent de la même façon. Le texte rituel hawaïen connu sous le nom de Kumulipo est « un hymne généalogique rattachant la famille royale, dont il était la propriété, non seulement aux dieux du peuple entier, adorés en commun avec les groupes polynésiens alliés, non seulement aux chefs divinisés nés dans le monde vivant, les Ao, dans la lignée familiale, mais encore aux

---

1. Ariane Macdonald, *La Naissance du Monde au Tibet* (in : *Sources Orientales*, I, Paris, 1959, pp. 417-452), p. 428. Cf. aussi R. A. Stein, *Recherches sur l'épopée et le barde au Tibet*, p. 464.

astres du ciel, aux plantes et aux animaux d'usage quotidien dans la vie terrestre... »[1]. En effet, le chant commence par évoquer :

> « *Le temps où la terre fut violemment changée*
> *le temps où les cieux changèrent séparément*
> *le temps où le soleil se levait*
> *pour donner la lumière à la lune, etc.* [2]. »

De tels chants rituels généalogiques sont composés par les bardes lorsque la princesse est enceinte, et ils sont communiqués aux danseurs *hula* pour être appris par cœur. Ces derniers, hommes et femmes, dansent et récitent le chant sans interruption, jusqu'à la naissance de l'enfant. Comme si le développement embryologique du futur chef était accompagné par la récapitulation de la cosmogonie, de l'histoire du monde et de l'histoire de la tribu. A l'occasion de la gestation d'un chef, on « refait » symboliquement le Monde. La récapitulation est à la fois une remémoration et une réactualisation rituelle, par les chants et la danse, des événements mythiques essentiels qui ont lieu depuis la Création.

On retrouve des conceptions et des rituels analogues chez les populations primitives de

1. Martha Warner Beckwith, *The Kumulipo. A Hawaiian Creation Chant* (The Univ. of Chicago Press, 1951), p. 7.
2. *Ibid.*, p. 45. « La lumière qui renaît chaque jour, le soleil qui chaque année revient du sud et ranime la terre sont non seulement symboles mais aussi images exemplaires de la naissance chez l'homme ou encore facteurs déterminants dans l'acheminement de la race vers la perfection... De même que l'univers céleste Wakea brise les chaînes de la nuit et surgit du sein des eaux qui le retenaient prisonnier des ténèbres, de même l'enfant brise l'enveloppe qui le retenait prisonnier dans le sein de sa mère et accède à la lumière, à la vie, au monde de l'entendement ». (*Ibid.* pp. 182-183).

l'Inde. Chez les Santali, par exemple, le *guru* récite le mythe cosmogonique au profit de chaque individu, mais seulement deux fois : la première fois « quand on reconnaît au Santal les pleins droits de la société (...). A cette occasion, le *guru* récite l'histoire de l'humanité depuis la création du monde, il termine en contant la naissance de celui pour qui le rite est accompli ». La même cérémonie est répétée durant le service funéraire, mais cette fois le *guru* transfère rituellement l'âme du trépassé dans l'autre Monde [1]. Chez les Gonds et les Baigas, à l'occasion des rituels en l'honneur de Dharti Mata et de Thakur Deo, le prêtre récite le mythe cosmogonique et rappelle à l'auditoire le rôle considérable que sa tribu a joué dans la création du Monde [2]. Lorsque les magiciens Munda expulsent les mauvais esprits, ils récitent les chansons mythologiques des Assur. Or, les Assur ont inauguré une nouvelle époque aussi bien chez les dieux et les esprits, que chez les humains, et pour cette raison l'histoire de leurs exploits peut être considérée comme faisant partie d'un mythe cosmogonique [3].

Chez les Bhils, la situation est quelque peu différente. Un seul parmi les chants magiques à fin médicale présente le caractère d'un mythe cosmogonique ; c'est *Le Chant du Seigneur*. Mais la plupart de ces chants sont en réalité des mythes d'origine. *Le Chant de Kasumor Dâmor*, par exemple, censé guérir toutes les

1. P. O. Bodding, « Les Santals » (*Journal Asiatique*, 1932), pp. 58 sq.
2. V. Elwin, *The Baiga* (Londres, 1939), p. 305 ; W. Koppers, *Die Bhil in Zentralindien* (Vienne, 1948), p. 242.
3. W. Koppers, *Die Bhil*, p. 242 ; J. Hoffmann et A. van Ernelen, *Encyclopaedia Mundarica*, vol. III (Patna, 1930), p. 739.

maladies, raconte les migrations du groupe bhil Dâmor du Gujerat vers le Sud de l'Inde centrale [1]. C'est donc le mythe de l'installation territoriale du groupe, en d'autres termes l'histoire d'un *nouveau commencement*, réplique de la création du Monde. D'autres chants magiques révèlent l'origine des maladies [2]. Il s'agit de mythes riches en aventures où nous finissons par apprendre les circonstances de l'apparition des maladies, événement qui, en fait, a changé la structure du Monde.

LE RÔLE DES MYTHES DANS LES GUÉRISONS

Dans le rituel guérisseur des Bhils, un détail est particulièrement intéressant. Le magicien « purifie » la place à côté du lit du malade et, avec de la farine de maïs, dessine un *mandol*. A l'intérieur du dessin, il insère la maison d'Isvor et de Bhagwân, et trace également leurs figures. L'image ainsi dessinée est conservée jusqu'à la guérison complète du malade [3]. Le terme même de *mandol* trahit l'origine indienne. Il s'agit, bien entendu, du *mandala*, dessin complexe qui joue un rôle important dans les rites tantriques indo-tibétains. Mais le *mandala* est avant tout une *imago mundi* : il représente à la fois le Cosmos en miniature et le panthéon. Sa construction équivaut à une recréation magique du monde. Par conséquent : le magicien bhil, en dessinant le *mandol* au pied du lit d'un malade, répète la cosmogonie, même si les chants

1. L. Jungblut, *Magic Songs of the Bhils of Jhabua State* (Internationales Archiv für Ethnographie, XLIII, 1943, pp. 1-136), p. 6.
2. *Ibid.*, pp. 35 sq., 59 sq.
3. Jungblut, p. 5.

rituels qu'il entonne ne font pas allusion expressément au mythe cosmogonique. L'opération a certainement un but thérapeutique. Rendu symboliquement contemporain de la Création du Monde, le malade plonge dans la plénitude primordiale ; il se laisse pénétrer par les forces gigantesques qui, *in illo tempore*, ont rendu possible la Création.

Il n'est pas sans intérêt de rappeler, à ce propos, que, chez les Navaho, le mythe cosmogonique, suivi du mythe de l'émersion des premiers humains du sein de la Terre, est récité surtout à l'occasion des guérisons ou pendant l'initiation d'un chaman. « Toutes les cérémonies sont centrées autour d'un patient, Hatrali (celui sur lequel on chante), qui peut être un malade ou simplement un malade mental, par exemple un sujet effrayé par un rêve, ou qui n'a besoin que d'une cérémonie, aux fins de l'apprendre au cours de son initiation au pouvoir d'officier dans ce chant, car un medicine-man ne peut pas procéder à une cérémonie de guérison tant qu'il n'a pas subi lui-même la cérémonie [1]. » La cérémonie comporte également l'exécution de dessins complexes sur sable, qui symbolisent les différentes étapes de la Création et l'histoire mythique des dieux, des ancêtres et de l'humanité. Ces dessins (qui ressemblent étrangement aux *mandala* indo-tibétains) réactualisent l'un après l'autre les événements qui ont eu lieu dans les temps mythiques. En écoutant le récit du mythe cosmogonique (suivi de la récitation des mythes d'origine) et en contemplant les dessins sur sable, le malade est projeté hors

1. Hasteen Klah, *Navajo Creation Myth : The Story of the Emergence* (Santa Fe, 1942), p. 19. Cf. aussi *Ibid.*, pp. 25 sq., 32 sq.

du temps profane et inséré dans la plénitude du Temps primordial : il est ramené « en arrière » jusqu'à l'origine du Monde et il assiste de la sorte à la cosmogonie.

La solidarité entre le mythe cosmogonique, le mythe de l'origine de la maladie et du remède, et le rituel de la guérison magique, se laisse admirablement saisir chez les Na-khi, population appartenant à la famille tibétaine mais vivant depuis bien des siècles dans la Chine du Sud-Est, et spécialement dans la province Yün-nan. D'après leurs traditions, au commencement l'Univers était judicieusement divisé entre les Nâgas et les hommes, mais une inimité les a séparés plus tard. Furieux, les Nâgas ont répandu dans le monde les maladies, la stérilité et toute sorte de fléaux. Les Nâgas peuvent également voler les âmes des hommes, en les rendant malades. S'ils ne sont pas réconciliés rituellement, la victime trépasse. Mais le prêtre-chaman (*dto-mba*), par la puissance de ses charmes magiques, est capable de forcer les Nâgas à libérer les âmes volées et emprisonnées [1]. Le chaman lui-même n'est capable de lutter contre les Nâgas que parce que le Chaman primordial, Dto-mba, avec le concours de Garuda, a entrepris cette lutte dans le Temps mythique. Or, le rituel de guérison consiste à proprement parler dans la récitation solennelle de cet événement primordial. Comme le dit expressément un texte traduit par Rock [2], « si l'on ne raconte pas l'origine de Garuda, on ne doit pas parler de lui ». Le chaman récite

1. J. F. Rock, *The Na-khi Nâga Cult and related ceremonies* (Rome, 1952), vol. I, pp. 9-10.
2. *Ibid.*, vol. I, p. 98.

donc le mythe de l'origine de Garuda : il raconte comment des œufs ont été créés par magie sur le Mont Kailasa et comment de ces œufs sont nés les Garudas, qui par la suite sont descendus dans la plaine pour défendre les humains contre les maladies provoquées par les Nâgas. Mais, avant de raconter la naissance des Garudas, le chant rituel relate brièvement la création du Monde. « Au temps où le ciel parut, le soleil, la lune, les astres et les plantes et la terre se répandirent ; quand les montagnes, les vallées, les arbres et les rochers parurent, à ce moment parurent les Nâgas et les dragons, etc. [1] »

La majorité de ces chants rituels à fin médicale commencent par évoquer la cosmogonie. Voici un exemple : « Au commencement, au temps où les cieux, le soleil, la lune, les astres, les planètes et la terre n'avaient pas encore apparu, alors que rien n'avait encore paru, etc. [2] » Et l'on raconte la création du monde, la naissance des démons et l'apparition des maladies, et finalement l'épiphanie du Chaman primordial Dto-mba, qui apporta les médicaments nécessaires. Un autre texte[3] commence par l'évocation du temps mythique : « Au commencement, alors que tout était indistinct, etc. », pour raconter la naissance des Nâgas et des Garudas. On raconte ensuite l'origine de la maladie (car, comme nous l'avons vu plus haut, « si l'on ne raconte pas l'origine du médicament, on ne doit pas l'utiliser »), par quels moyens elle s'est propagée d'une génération

1. *Ibid.*, vol. I, p. 97.
2. *Ibid.*, vol. I, p. 108.
3. *Ibid.*, vol. II, pp. 386 sq.

à l'autre, et finalement la lutte entre les démons et le chaman : « L'esprit donne la maladie aux dents et à la bouche, en décochant la flèche ; le *dto-mba* arrache la flèche, etc. ; le démon donne la maladie au corps, en décochant la flèche dans le corps ; le *dto-mba* l'arrache, etc. [1]. »

Un autre chant rituel commence de la façon suivante : « Il faut raconter l'origine du remède, sinon on ne peut pas parler de lui. Au temps où le ciel, les étoiles, le soleil et la lune et les planètes parurent, et où la terre apparut », etc., « en ce temps-là naquit Ts'o-dze-p'er-ddu [2] ». Suit un très long mythe qui explique l'origine des médicaments : absent pendant trois jours de la maison, Ts'o-dze-p'er-ddu trouve, au retour, ses parents morts. Il décide alors de partir en quête d'un médicament qui empêche la mort et s'en va au pays du Chef des Esprits. Après maintes aventures, il vole les médicaments miraculeux, mais, poursuivi par l'Esprit, il tombe par terre et les médicaments se dispersent, donnant l'existence aux plantes médicinales.

RÉITÉRATION DE LA COSMOGONIE

Certains textes publiés par Hermanns sont encore plus éloquents. Au cours du rituel guérisseur, le chaman, non seulement résume la cosmogonie, mais il invoque Dieu et *le supplie de créer de nouveau le Monde*. Une de ces prières commence par rappeler que « la terre fut créée,

1. *Ibid.*, vol. II, p. 489.
2. *Ibid.*, vol. I, pp. 279 sq.

l'eau fut créée, l'univers entier fut créé. De même furent créées la bière rituelle *chi*, et l'offrande de riz *so* », et finit par une évocation : « Accourez, ô Esprits [1]! » Un autre texte présente « la genèse du *chi*, et celle de la boisson alcoolique *dyö*. Selon une vieille tradition, leur lieu d'origine est celui-là même de l'arbre Sang li et de l'arbre Sang log. Dans l'intérêt du monde entier et pour notre bien, accours, ô messager de Dieu. Tak bo Thing, dieu aux pouvoirs surnaturels, est descendu autrefois pour créer le Monde. *Redescends maintenant pour le créer de nouveau* [2] ». Il est clair que, pour préparer les boissons rituelles *chi* et *dyö*, on doit connaître le mythe de leur origine, qui est intimement lié au mythe cosmogonique. Mais, ce qui est encore plus intéressant, le Créateur est invité à descendre de nouveau pour une nouvelle création du Monde, au profit du malade.

On voit que, dans ces chants magiques à fin médicale, le *mythe de l'origine des médicaments* est toujours intégré dans le *mythe cosmogonique*. Nous avons cité dans le chapitre précédent quelques exemples d'où il ressort que, dans les thérapeutiques primitives, un remède ne devient efficace que si l'on rappelle rituellement son origine devant le malade. Un grand nombre d'incantations du Proche-Orient et de l'Europe contiennent l'histoire de la maladie ou du démon qui l'a provoquée, en évoquant tout à la fois le moment mythique où une divinité ou un saint a réussi à dompter le mal. Une incantation assyrienne contre les maux de dents rappelle que, « après qu'Anu eut fait les cieux, les

1. M. Hermanns, *The Indo-Tibetans*, pp. 66 sq.
2. *Ibid.*, p. 69. C'est nous qui soulignons.

cieux firent la terre, la terre fit les fleuves, les fleuves firent les canaux, les canaux firent les étangs, les étangs firent le Ver ». Et le Ver se rend « en larmes » auprès de Shamash et Ea, et leur demande ce qui lui sera donné à manger, à « détruire ». Les dieux lui offrent des fruits, mais le Ver lui demande des dents humaines. « Puisque tu as parlé ainsi, ô Ver, que Ea te brise de sa main puissante [1]! » Nous assistons ici : 1º à la création du Monde; 2º à la naissance du Ver et de la maladie ; 3º au geste guérisseur primordial et paradigmatique (destruction du Ver par Ea). L'efficience thérapeutique de l'incantation réside dans le fait que, prononcée rituellement, elle réactualise le temps mythique de l' « origine », aussi bien origine du monde qu'origine des maux de dents et de leur traitement.

Il arrive parfois que la récitation solennelle du mythe cosmogonique sert à guérir certaines maladies ou déficiences. Mais, comme nous le verrons dans un instant, cette application du mythe cosmogonique n'est qu'une parmi d'autres. En tant que modèle exemplaire de toute « création », le mythe cosmogonique est susceptible d'aider le malade à « recommencer » sa vie. Grâce au *retour à l'origine*, on espère naître de nouveau. Or, tous les rituels médicaux que nous venons d'examiner visent un retour à l'origine. On a l'impression que, pour les sociétés archaïques, la vie ne peut pas être *réparée*, mais seulement *recréée* par un retour

1. Campbell Thompson, *Assyrian Medical Texts* (Londres, 1923), p. 59. Voir également l'histoire mythique du charme contre les morsures des serpents, inventé par Isis *in illo tempore*, dans G. Röder, *Urkunden zur Religion des alten Aegypten* (Iena, 1915), pp. 138 sq.

aux sources. Et la « source » par excellence est le jaillissement prodigieux d'énergie, de vie et de fertilité qui a eu lieu lors de la Création du Monde.

Tout ceci ressort assez clairement des multiples applications rituelles du mythe cosmogonique polynésien. Selon ce mythe, il n'existait, au commencement, que les Eaux et les Ténèbres. Io, le Dieu suprême, sépara les Eaux par la puissance de la pensée et de ses paroles, et créa le Ciel et la Terre. Il dit : « Que les Eaux se séparent, que les Cieux se forment, que la Terre devienne! » Ces paroles cosmogoniques d'Io, grâce auxquelles le monde est entré dans l'existence, sont des paroles créatrices, chargées de puissance sacrée. Aussi les hommes les prononcent-ils dans toutes les circonstances où il y a quelque chose à *faire*, à *créer*. On les répète dans le rite de la fécondation d'une matrice stérile, dans le rite de la guérison du corps et de l'esprit, mais aussi à l'occasion de la mort, de la guerre et des récits généalogiques. Voici comment s'exprime un Polynésien de nos jours, Hare Hongi : « Les paroles grâce auxquelles Io modela l'Univers — c'est-à-dire grâce auxquelles celui-ci fut enfanté et conduit à engendrer un monde de lumière — ces mêmes paroles sont employées dans le rite de la fécondation d'une matrice stérile. Les paroles grâce auxquelles Io fit briller la lumière dans les ténèbres sont utilisées dans les rites destinés à égayer un cœur sombre et abattu, l'impuissance et la sénilité, à répandre de la clarté sur des choses et des lieux cachés, à inspirer ceux qui composent des chants, et aussi dans les revers de la guerre, ainsi que dans beaucoup d'autres

circonstances qui poussent l'homme au désespoir. Pour tous les cas semblables, ce rite, qui
a pour objet de répandre de la lumière et de la
joie, reproduit les paroles dont Io s'est servi
pour vaincre et dissiper les ténèbres [1]. »

Ce texte est remarquable. Il constitue un
témoignage direct et de tout premier ordre sur
la fonction du mythe cosmogonique dans une
société traditionnelle. Comme nous venons
de le voir, ce mythe sert de modèle pour toute
sorte de « création » ; aussi bien la procréation
d'un enfant que le rétablissement d'une situation
militaire compromise ou d'un équilibre psychique menacé par la mélancolie et le désespoir.
Cette capacité du mythe cosmogonique d'être
appliqué sur des plans divers de référence
nous semble particulièrement significative.
L'homme des sociétés traditionnelles sent l'u-
nité fondamentale de toutes les espèces d' « œuvres » ou de « formes », qu'elles soient d'ordre
biologique, psychologique ou historique. Une
guerre malchanceuse est homologable à une
maladie, à un cœur abattu et sombre, à une
femme stérile, à l'absence de l'inspiration chez
un poète, à toute autre situation existentielle
critique, où l'homme est poussé au désespoir.
Et toutes ces situations négatives et désespérées,
apparemment sans issue, sont renversées par
la récitation du mythe cosmogonique, notamment par la répétition des paroles grâce auxquelles Io engendra l'Univers et fit briller la
lumière dans les ténèbres. Autrement dit, la
cosmogonie constitue le modèle exemplaire
de toute situation créatrice : tout ce que fait

1. E. S. C. Handy, *Polynesian Religion* (Honolulu, 1927),
pp. 10-11.

l'homme, répète en quelque sorte le « fait » par excellence, le geste archétypal du Dieu créateur : la Création du Monde.

Comme nous l'avons vu, le mythe cosmogonique est récité également à l'occasion de la mort ; car la mort, elle aussi, constitue une situation nouvelle qu'il importe de bien assumer pour la rendre créatrice. On peut « rater » une mort comme on perd une bataille ou comme on perd l'équilibre psychique et la joie de vivre. Il est également significatif que Hare Hongi range parmi les situations désastreuses et négatives, non seulement l'impuissance, la maladie et la sénilité, mais aussi le manque d'inspiration des poètes, leur incapacité de créer ou de réciter convenablement les poèmes et les récits généalogiques. Il suit de là, d'abord, que la création poétique est homologuée, par les Polynésiens, à toute autre création importante, mais aussi — puisque Hare Hongi fait allusion aux récits généalogiques — que la mémoire des chantres constitue, en elle-même, une « œuvre » et que l'accomplissement de cette « œuvre » peut être assuré par la récitation solennelle du mythe cosmogonique.

On comprend pourquoi ce mythe est tellement prestigieux pour les Polynésiens. La cosmogonie est le modèle exemplaire de toute espèce de « faire » : non seulement parce que le Cosmos est l'archétype idéal à la fois de toute situation créatrice et de toute création — mais aussi parce que le Cosmos est une œuvre divine ; il est donc sanctifié dans sa structure même. Par extension, tout ce qui est parfait, « plein », harmonieux, fertile, en un mot : tout ce qui est « cosmisé », tout ce qui ressemble à

un Cosmos, est sacré. Faire bien quelque chose,
œuvrer, construire, créer, structurer, donner
forme, in-former, former — tout ceci revient
à dire qu'on amène quelque chose à l'existence,
qu'on lui donne « vie », en dernière instance,
qu'on la fait ressembler à l'organisme harmonieux par excellence, le Cosmos. Or, le Cosmos,
pour le répéter, est l'œuvre exemplaire des
Dieux, c'est leur chef-d'œuvre.

Que le mythe cosmogonique soit considéré
le modèle exemplaire de toute « création », c'est
ce qui est admirablement illustré par cette
coutume d'une tribu nord-américaine, les Osage.
Lors de la naissance d'un enfant, « un homme
qui a parlé avec les dieux » est appelé. En arrivant à la maison de l'accouchée, il récite devant
le nouveau-né l'histoire de la création de l'Univers et des animaux terrestres. C'est seulement
ensuite que le nourrisson est allaité. Plus tard,
lorsque l'enfant désire boire de l'eau, on appelle
de nouveau le même homme, ou un autre. Il
récite une fois encore la Création en la complé-
tant avec l'histoire de l'origine de l'Eau. Lorsque l'enfant atteint l'âge de prendre des aliments solides, l'homme « qui a parlé avec les
dieux » revient et il récite à nouveau la Création, cette fois-ci relatant aussi l'origine des
céréales et des autres aliments [1].

Il serait d'autant plus difficile de trouver un
exemple plus éloquent de la croyance que chaque
nouvelle naissance représente une récapitulation
symbolique de la cosmogonie et de l'histoire
mythique de la tribu. Cette récapitulation a pour

1. Alice C. Fletcher and F. La Flesche, *The Omaha Tribe*
(Bureau of American Ethnology, 27th Annual Report, Washington,
1911), p. 116, note *a*.

objet d'introduire rituellement le nouveau-
né dans la réalité sacramentelle du monde et de
la culture, et, ce faisant, de valider son existence, en la proclamant conforme aux paradigmes mythiques. Mais il y a plus : il y a que
l'enfant qui vient de naître est mis en face
d'une série de « commencements ». Et on ne
peut « commencer » quelque chose que si l'on
en connaît l' « origine », que si l'on sait comment cette chose est venue pour la première
fois à l'existence. En « commençant » à téter,
ou à boire de l'eau, ou à manger des aliments
solides, l'enfant est projeté rituellement à
l' « origine », lorsque le fait, l'eau et les céréales
ont apparu pour la première fois.

LE « RETOUR A L'ORIGINE »

L'idée implicite de cette croyance est que
*c'est la première manifestation d'une chose qui
est significative et valable,* et non pas ses épi-
phanies successives. Pareillement, ce n'est pas
ce qu'ont fait le père et le grand-père qu'on
enseigne à l'enfant, mais ce qui a été fait pour
la première fois par les Ancêtres, dans les Temps
mythiques. Certes, le père et le grand-père
n'ont fait qu'imiter les Ancêtres ; on pourrait donc penser qu'en imitant le père, on
obtiendrait les mêmes résultats. Mais en pen-
sant de la sorte, on méconnaîtrait le rôle essentiel du *Temps de l'origine,* qui, nous avons vu,
est considéré un temps « fort » justement parce
qu'il a été en quelque sorte le « réceptacle »
d'une *nouvelle création.* Le temps écoulé entre
l'*origine* et le moment présent n'est pas « fort »

ni « significatif » (sauf, bien entendu, les intervalles où l'on réactualisait le temps primordial) — et pour cette raison on le néglige ou
l'on s'efforce de l'abolir [1].

Dans cet exemple il s'agit d'un rituel où les
mythes cosmogoniques et d'origine sont récités
au profit d'un seul individu, comme dans le cas
des guérisseurs. Mais le « retour à l'origine », qui
permet de revivre le temps où les choses se
sont manifestées pour la première fois, constitue une expérience d'une importance capitale
pour les sociétés archaïques. Nous discuterons
cette expérience à plusieurs reprises dans les
pages qui suivent. Mais citons ici un exemple
de récitation solennelle des mythes cosmogoniques et d'origine dans les festivités collec-
tives de l'île Sumba. Lors des événements
importants pour la communauté — une récolte
abondante, le trépas d'un membre éminent, etc. — on construit une maison cérémonielle (*marapu*), et à cette occasion les narrateurs racontent l'histoire de la Création et des
Ancêtres. « A l'occasion de tous ces événements,
les narrateurs évoquent avec vénération les
« commencements », c'est-à-dire le moment où
se sont formés les principes de la culture même
qu'il s'agit de préserver comme le plus précieux
des biens. Un des aspects les plus remarquables
de la cérémonie est cette récitation qui se présente en réalité comme un échange de questions et de réponses entre deux individus en
quelque sorte homologues, puisqu'on les choi-
sit dans deux clans unis par des liens de parenté
exogame. Aussi, en cet instant capital, les deux

1. Cf. *Le Mythe de l'Éternel Retour*, ch. II et *passim*.

récitants représentent-ils tous les membres du groupe, y compris les morts — ce qui fait que la récitation du mythe de la tribu (que l'on doit en même temps se représenter comme un mythe cosmogonique) portera profit à l'ensemble du groupe [1]. »

En somme, il s'agit de rituels collectifs d'une périodicité irrégulière, comportant la construction d'une maison cultuelle et la récitation solennelle des mythes d'origine de structure cosmogonique. Le bénéficiaire en est l'ensemble de la communauté, les vivants comme les morts. A l'occasion de la réactualisation des mythes, la communauté tout entière est renouvelée ; elle retrouve ses « sources », elle revit ses « origines ». L'idée d'un renouvellement universel opéré par la réactualisation cultuelle d'un mythe cosmogonique est attestée chez beaucoup de sociétés traditionnelles. Nous l'avons traité dans *Le Mythe de l'Éternel Retour*, et nous reviendrons dans le chapitre suivant ; en effet, le scénario mythico-rituel du renouvellement périodique du Monde est susceptible de nous révéler une des fonctions maîtresses du mythe, aussi bien dans les cultures archaïques que dans les premières civilisations de l'Orient.

PRESTIGE DES « COMMENCEMENTS »

Les quelques exemples cités permettent de mieux saisir les rapports entre le mythe cosmogonique et les mythes d'origine. Il y a,

1. C. Tj. Bertling, *Notes on myth and ritual in Southeast Asia* (La Haye, 1958), pp. 3-4.

avant tout, le fait que le mythe d'origine débute, en nombre de cas, par une esquisse cosmogonique : le mythe rappelle brièvement les moments essentiels de la Création du Monde, pour raconter ensuite la généalogie de la famille royale, ou l'histoire tribale, ou l'histoire de l'origine des maladies et des remèdes, et ainsi de suite [1]. Dans tous ces cas, les mythes d'origine prolongent et complètent le mythe cosmogonique. Lorsqu'il s'agit de la fonction rituelle de certains mythes d'origine (par exemple dans les guérisons, ou, comme chez les Osage, mythes destinés à introduire le nouveau-né dans la sacralité du Monde et de la société), on a l'impression que leur « puissance » leur vient, en partie, du fait qu'ils contiennent les rudiments d'une cosmogonie. Cette impression est confirmée par le fait que, dans certaines cultures (p. ex. en Polynésie), le mythe cosmogonique est non seulement susceptible d'avoir une valeur thérapeutique intrinsèque, mais constitue aussi le modèle exemplaire de toute espèce de « création » et de « faire ».

On comprend mieux cette dépendance des

1. La coutume se maintient même dans les cultures évoluées, connaissant l'écriture. S. N. Kramer remarque à propos des textes sumériens que « Les mythes ou les épopées des poètes sumériens commençaient en général par une évocation cosmologique, sans rapport direct avec l'ensemble de l'œuvre. Voici cinq vers, extraits du prologue de *Gilgamesh, Enkidou et l'Enfer* :

« Après que le ciel fut disjoint de la terre,
Après que la terre fut séparée du ciel,
Après que le nom de l'homme fut désigné,
Après que (le dieu du ciel) An eut emporté le ciel,
Après que (le dieu de l'air) Enhil eut emporté la terre »...

(S. N. Kramer, *From the tablets of Sumer*, Indian Hills, Colorado, 1956, p. 77). Pareillement, au Moyen Age, nombre de chroniqueurs commençaient leurs Histoires locales avec la Création du Monde.

mythes d'origine du mythe cosmogonique si l'on tient compte que, dans un cas comme dans l'autre, il est question d'un « commencement ». Or, le « commencement » absolu est la Création du Monde. Il ne s'agit certes pas d'une simple curiosité théorique. Il ne suffit pas de connaître l' « origine », il faut réintégrer le moment de la création de telle ou telle chose. Or, ceci se traduit par un « retour en arrière », jusqu'à la récupération du Temps originel, fort, sacré. Et, comme nous l'avons déjà vu et le verrons encore mieux par la suite, la récupération du Temps primordial, qui seul est capable d'assurer le renouvellement total du Cosmos, de la vie et de la société, s'obtient surtout par la réactualisation du « commencement absolu », c'est-à-dire la Création du Monde.

Récemment, Rafaele Pettazzoni a proposé de considérer le mythe cosmogonique comme une variante du mythe d'origine. « Il s'ensuit que le mythe de création participe de la même nature que le mythe d'origine (...). Notre analyse nous a permis d'arracher le mythe de création à son splendide isolement ; il cesse par là d'être un *hépax genómenon*, et il rentre dans une classe nombreuse de faits analogues, les mythes d'origine [1]. » Pour les raisons que nous venons de rappeler, il nous semble difficile de partager ce point de vue. Un nouvel état de choses implique toujours un état précédent, et celui-ci, en dernière instance, est le Monde. C'est à partir de cette « totalité » initiale que se développent les modifications ultérieures. Le milieu cosmique où l'on vit, si

1. R. Pettazzoni, *Essays on the History of Religions*, pp. 27-36.

limité qu'il puisse être, constitue le « Monde » ;
son « origine » et son « histoire » précèdent
toute autre histoire particulière. L'idée mythique de l' « origine » est imbriquée dans le mystère de la « création ». Une chose a une « origine »
parce qu'elle a été créée, c'est-à-dire parce
qu'une puissance s'est clairement manifestée
dans le Monde, un événement a eu lieu. En
somme, l'*origine* d'une chose rend compte de la
création de cette chose.

La preuve que le mythe cosmogonique n'est
pas une simple *variante* de l'*espèce* constituée
par le mythe d'origine, c'est que les cosmogonies, comme nous venons de le voir, servent de
modèle à toutes sortes de « créations ». Les
exemples que nous allons analyser dans le
chapitre suivant renforceront, il nous semble,
cette conclusion.

CHAPITRE III

Mythes et rites de renouvellement.

INTRONISATION ET COSMOGONIE

A. M. Hocart avait remarqué qu'à Fidji, la cérémonie de l'intronisation du roi s'appelle « creation of the world », « fashioning the land » ou « creating the earth » [1]. A l'avènement d'un souverain, la cosmogonie était symboliquement réitérée. La conception est assez répandue chez les peuples agriculteurs. Selon une interprétation récente, le sacre du roi indien, *rajasûya*, comportait une recréation de l'Univers. En effet, les différentes phases du rituel accomplissaient successivement la régression du futur souverain à l'état embryonnaire, sa gestation d'une année et sa renaissance mystique en tant que Cosmocrator, identifié à la fois à Prajâpati (le Dieu-Tout) et au Cosmos.

La période embryonnaire du futur souverain correspondait au processus de maturation de l'Univers et, très probablement, était originellement en relation avec la maturation des récoltes. La deuxième phase du rituel achève

1. *Le Mythe de l'Éternel Retour*, pp. 80 sq.

la formation du nouveau corps « divin » du souverain. La troisième phase du *rajasûya* est constituée d'une série de rites, dont le symbolisme cosmogonique est amplement souligné par les textes. Le roi lève les bras ; il symbolise l'élévation de l'*axis mundi*. Lorsqu'il reçoit l'onction, le roi reste debout sur le trône, les bras levés : il incarne l'axe cosmique fixé dans l'ombilic de la Terre — c'est-à-dire le trône, le Centre du Monde — et touchant le Ciel. L'aspersion se rattache aux Eaux qui descendent du Ciel, le long de l'*axis mundi* — c'est-à-dire le Roi — afin de fertiliser la Terre [1].

A l'époque historique, on ne pratiquait le *rajasûya* que deux fois ; la première, pour sacrer le roi, et la seconde, pour lui assurer la souveraineté universelle. Mais dans les temps protohistoriques, le *rajasûya* était probablement annuel et se célébrait pour régénérer le Cosmos.

C'est ce qui se passait en Égypte. Le couronnement d'un nouveau pharaon, écrit Frankfort, « peut être considéré comme la création d'une nouvelle époque, après une dangereuse interruption de l'harmonie entre la société et la nature, une situation donc qui participe à la nature de la création de l'univers. C'est ce qui est bien illustré par un texte qui contient une malédiction des ennemis du roi, qui sont comparés avec Apophis, le serpent des ténèbres que Re détruit à l'aube. Mais la comparaison comporte une curieuse addition : « Ils seront pareils au serpent Apophis au matin du Nouvel An. » La précision « au matin du Nouvel An » ne peut

1. M. Eliade, *Méphistophélès et l'Androgyne* (Paris, 1962), pp. 191 sq.

s'expliquer que dans le sens d'une intensification : le serpent est défait à chaque lever de soleil, mais le Nouvel An célèbre la création et le renouveau diurne tout autant que l'ouverture du nouveau cycle annuel [1]. »

On voit par quel mécanisme le scénario cosmogonique du Nouvel An est susceptible d'être intégré dans le sacre d'un roi ; les deux systèmes rituels poursuivent la même fin : la rénovation cosmique. « Mais la *renovatio* effectuée à l'occasion du sacre d'un roi a eu des conséquences considérables dans l'histoire ultérieure de l'humanité. D'une part, les cérémonies de renouvellement deviennent mobiles, se détachent du cadre rigide du calendrier ; d'autre part, le roi devient en quelque sorte responsable de la stabilité, la fécondité et la prospérité du Cosmos tout entier. Ceci revient à dire que le renouvellement universel devient solidaire non plus des rythmes cosmiques, mais des personnes et des événements historiques [2]. »

RENOUVELER LE MONDE

Il est facile de comprendre pourquoi le sacre d'un roi répétait la cosmogonie ou était célébré

1. H. Frankfort, *Kingship and the Gods* (Chicago, 1948), p. 150.
2. M. Eliade, *Méphistophélès et l'Androgyne*, pp. 193-194. « C'est dans cette conception qu'on trouve la source des futures eschatologies historiques et politiques. En effet, on est arrivé, plus tard, à attendre la rénovation cosmique, le « salut » du Monde, de l'apparition d'un certain type de Roi, de Héros ou de Sauveur, ou même de chef politique. Bien que sous un aspect fortement sécularisé, le monde moderne conserve encore l'espoir eschatologique d'une *renovatio* universelle, opérée par la victoire d'une classe sociale ou même d'un parti ou d'une personnalité politiques » (*Ibid.* p. 194).

au Nouvel An. Le roi était censé renouveler le Cosmos tout entier. Le renouvellement par excellence s'opère au Nouvel An, lorsqu'on inaugure un nouveau cycle temporel. Mais la *renovatio* effectuée par le rituel du Nouvel An est, au fond, une réitération de la cosmogonie. Chaque Nouvel An recommence la Création. Et ce sont les mythes — aussi bien cosmogoniques que mythes d'origine — qui rappellent aux hommes comment a été créé le Monde et tout ce qui a eu lieu par la suite.

Le Monde est toujours « notre monde », le monde où l'on vit. Et bien que le mode d'être de l'existence humaine soit le même chez les Australiens que chez les Occidentaux d'aujourd'hui, les contextes culturels dans lesquels se laisse saisir l'existence humaine varient considérablement. Il est évident, par exemple, que le « Monde » des Australiens vivant de la cueillette et de la petite chasse n'est pas le même que celui des agriculteurs néolithiques ; tout comme le Monde de ces derniers n'est pas celui des habitants des villes du Proche-Orient antique, ni le « Monde » dans lequel vivent aujourd'hui les peuples de l'Europe occidentale ou des États-Unis. Les différences sont trop considérables pour exiger qu'on les mette en relief. Nous ne les avons rappelées que pour éviter un malentendu : en citant des exemples représentant des types différents de culture, nous n'entendons pas revenir à un comparatisme « confusionniste » du genre Frazer. Les contextes historiques de chacun des exemples que nous utilisons restent sous-entendus. Mais il nous semble inutile de préciser, à propos de chaque tribu citée, quelle est sa structure sociale et économique et de quelles tribus elle peut ou ne peut pas être rapprochée.

Donc, le « Monde » est toujours le monde que l'on connaît et dans lequel on vit ; il diffère d'un type de culture à un autre ; il existe, par conséquent, un nombre considérable de « Mondes ». Mais ce qui importe à notre recherche, c'est le fait que, malgré la différence des structures socio-économiques et la variété des contextes culturels, les peuples archaïques pensent que le Monde doit être annuellement renouvelé et que ce renouvellement s'opère selon un modèle : la cosmogonie ou un mythe d'origine, qui joue le rôle d'un mythe cosmogonique.

Évidemment, l' « Année » est diversement comprise par les primitifs, et les dates du « Nouvel An » varient en rapport avec le climat, le milieu géographique, le type de culture, etc. Mais il s'agit toujours d'un cycle, c'est-à-dire d'une durée temporelle qui a un commencement et une fin. Or, à la fin d'un cycle et au début du cycle suivant, ont lieu une série de rituels qui visent la rénovation du Monde. Comme nous l'avons déjà dit, cette *renovatio* est une recréation effectuée selon le modèle de la cosmogonie.

Les exemples les plus simples se rencontrent chez les Australiens. Ce sont les mythes d'origine qui sont annuellement réactualisés. Les animaux et les plantes, créés *in illo tempore* par des Êtres Surnaturels, sont rituellement recréés. Dans le Kimberley, les peintures rupestres, censées avoir été peintes par les ancêtres mythiques, sont repeintes, afin de réactiver leur puissance créatrice, telle qu'elle s'était manifestée pour la première fois dans les temps mythiques, c'est-à-dire au début du Monde [1].

Cette re-création des animaux et des plantes alimentaires équivaut, pour les Australiens, à une re-création du Monde. Et ceci, non seulement parce que, en disposant d'une nourriture suffisante, ils espèrent vivre encore une année, mais surtout parce que le Monde a réellement pris naissance lorsque les animaux et les plantes ont fait pour la première fois leur apparition dans les Temps du Rêve. Les animaux et les plantes se rangent parmi les œuvres créées par les Êtres Surnaturels. Se nourrir n'est pas simplement un acte physiologique, mais également un acte « religieux » : on mange les créations des Êtres Surnaturels, et on les mange comme les ont mangées les ancêtres mythiques, pour la première fois, au début du Monde [2].

Chez les Australiens, la cosmogonie se réduit à la création de leur paysage familier. Ceci est leur « Monde », et il doit être périodiquement renouvelé, autrement il risque de périr. L'idée que le Cosmos est menacé de ruine s'il n'est pas recréé annuellement inspire la principale fête des tribus californiennes Karok, Hupa et Yurok. La cérémonie s'appelle, dans les langues respectives, « la restauration du Monde » et, en anglais, « New Year ». Le but est de rétablir ou raffermir la Terre pour l'année qui suit ou pour deux ans. Chez certaines tribus Yurok, le raffermissement du

---

1. Helmut Petri, *Sterbende Welt in Nordwest Australien* (Brunswick, 1954), pp. 200 sq., A. P. Elkin, *The Australian Aborigines* (Londres, 1954), pp. 220 sq.

2. Sur la valeur religieuse de la nourriture, cf. Eliade, *op. cit.*, pp. 182, 195 sq.

Monde est obtenu par la reconstruction rituelle de la cabane à vapeur, rite de structure cosmogonique dont on trouvera plus loin d'autres exemples. L'essentiel du cérémonial consiste en longs pèlerinages que le prêtre entreprend à tous les sites sacrés, c'est-à-dire aux lieux où les Immortels ont accompli certains gestes. Ces pérégrinations rituelles s'étendent sur dix ou douze jours. Pendant tout ce temps, le prêtre incarne les Immortels. En marchant, il pense : « Ainsi marchait Ixkareya animas (i. e. un des Immortels) dans les temps mythiques. » En arrivant à un des sites sacrés, il se met à balayer en disant : « Ixkareya yakam (i. e. un autre Immortel) balaie pour moi. Tous ceux qui sont malades se porteront mieux dorénavant. » Ensuite il gravit une montagne. Il y cherche une branche dont il fait une canne en disant : « Le Monde est cassé, mais lorsque je commencerai à traîner cette canne sur la terre, toutes les fissures seront remplies et la Terre deviendra de nouveau solide. »

Il descend ensuite vers la rivière. Il trouve là une pierre, qu'il fixe solidement, en disant : « La Terre qui a été basculée sera de nouveau redressée. Les gens vont vivre (longuement) et seront plus forts. » Ensuite, il s'assoit sur la pierre. « Lorsque je me serai assis sur la pierre, expliquait-il à Gifford, le Monde ne se lèvera et ne basculera plus. » Cette pierre se trouve là depuis les temps des Immortels, c'est-à-dire depuis le commencement du Monde [1].

---

1. A. L. Kroeber et E. W. Gifford, *World Renewal, a Cult System of Native Northwest California* (Anthropological Records,

« L'ensemble des rituels que nous venons de rappeler constitue un scénario cosmogonique. Dans les Temps mythiques, les Immortels ont créé le Monde dans lequel allaient vivre les Californiens : ils en ont tracé les contours, en ont fixé le Centre et les assises, ont assuré l'abondance des saumons et des glands, et ont exorcisé les maladies. Mais ce Monde n'est plus le Cosmos atemporel et inaltérable dans lequel vivaient les Immortels. Il est un monde vivant, — habité et usé par des êtres en chair et os, soumis à la loi du devenir, de la vieillesse et de la mort. Aussi réclame-t-il une réparation, un renouvellement, un raffermissement périodiques. Mais on ne peut renouveler le Monde qu'en répétant ce que les Immortels ont fait *in illo tempore*, en réitérant la création. C'est pourquoi le prêtre reproduit l'itinéraire exemplaire des Immortels et répète leurs gestes et leurs paroles. En somme, le prêtre finit par incarner les Immortels. Autrement dit, à l'occasion de la Nouvelle Année, les Immortels sont censés être de nouveau présents sur la Terre. Ceci explique pourquoi le rituel du renouvellement annuel du Monde est la plus importante cérémonie religieuse de ces tribus californiennes. Le Monde n'est pas seulement rendu plus stable et régénéré, mais il est aussi sanctifié par la présence symbolique des Immortels. Le prêtre, qui les incarne, devient — pour un certain laps de temps — « personne immortelle », et comme tel, il ne doit pas être regardé ni touché. Il accomplit les

XIII, n° 1, Univ. of California, Berkeley, 1949), pp. 6 sq., 10-17, 19 sq., résumé dans notre livre *Méphistophélès et l'Androgyne*, pp. 175 sq.

rites loin des hommes, dans une solitude absolue, car, lorsque les Immortels les accomplirent pour la première fois, il n'existait pas encore d'hommes sur la Terre [1]. »

DIFFÉRENCES ET SIMILARITÉS

Le scénario mythico-rituel du renouvellement périodique du Monde se rencontre également chez d'autres tribus californiennes ; p. ex. la cérémonie *aki* des Maidu des collines, la *hesi* des Maidu des Plaines, *kuksu* des Pomo orientaux [2]. Dans tous ces exemples le renouvellement du Monde est intégré dans un complexe cultuel comportant l'hommage à l'Être Suprême, l'assurance d'une récolte excellente et l'initiation des jeunes gens. On peut comparer ce scénario des Californiens avec le rituel de la « Cabane de la Nouvelle Vie » des Cheynee (rituel articulé dans la Danse du Soleil) et les cérémonies de la « Grande Maison » des Lenape. Dans un cas comme dans l'autre il s'agit d'un rituel cosmogonique, de rénovation du Monde et de renaissance de la Vie. Chez les Cheynee, le prêtre renouvelle la Création ; chez les Lenape, pendant la cérémonie du Nouvel An on réitère la première création du Monde, et ce faisant on récupère la plénitude initiale [3].

Ajoutons que la construction ou la répara-

1. Eliade, *op. cit.*, p. 182.
2. Werner Müller, *Weltbild und Kult der Kwakiutl-Indianer* (Wiesbaden, 1955), p. 120.
3. Werner Müller, *Die Religionen der Waldlandindianer Nordamerikas* (Berlin, 1956), pp. 306, 317.

tion périodique de la cabane rituelle a également une signification cosmogonique. La cabane sacrée représente l'Univers. Son toit symbolise la coupole céleste, le plancher représente la Terre, les quatre parois les quatre directions de l'espace cosmique. Les Dakota affirment que l' « Année est un cercle autour du monde », c'est-à-dire autour de la hutte initiatique [1]. Ajoutons aussi que l'interdépendance entre le Cosmos et le Temps cosmique (le Temps « circulaire ») a été sentie avec une telle vivacité qu'en plusieurs langues le terme désignant le « Monde » est également employé pour signifier l'« Année ». Par exemple, certaines tribus californiennes disent : « Le Monde a passé » ou « La Terre a passé », en voulant dire qu' « un an s'est écoulé [2] ».

Si l'on passe maintenant aux rituels du Nouvel An en vigueur chez des populations pratiquant la proto-agriculture (i. e. la culture des tubercules), on est frappé par les différences. On constate d'abord deux éléments nouveaux : le retour collectif des morts et les excès orgiastiques. Mais il y a surtout une différence d'atmosphère religieuse. Au pèlerinage solitaire du prêtre Karok, avec ses méditations et ses prières, correspond une fête collective d'une intensité extrême. Il n'est que de penser à la fête *milamala* des indigènes des îles Trobriand, décrite par Malinowski. V. Lanternari a consacré tout un livre à l'étude de ce complexe mythico-rituel, et

---

1. Werner Müller, *Die blaue Hütte. Zum Sinnbild der Perle bei nordamerikanischen Indianern* (Wiesbaden, 1954), p. 133.
2. A. L. Kroeber, *Handbook of the Indians of California* (Washington, 1925), pp. 177, 498.

nous-mêmes l'avons brièvement discuté en relation avec les cultes prophétiques mélanésiens [1]. Inutile de reprendre ici les résultats de ces recherches. Disons seulement que, en dépit des différences entre les systèmes mythico-rituels des tribus nord-américaines citées plus haut et des Mélanésiens, les structures sont homologables. Chez les uns comme chez les autres, le Cosmos doit être recréé périodiquement, et le scénario cosmogonique par l'organe duquel on opère le renouvellement est en relation avec la nouvelle récolte et la sacramentalisation de la nourriture.

NOUVEL AN ET COSMOGONIE DANS LE PROCHE-ORIENT ANTIQUE

Il est significatif qu'on retrouve des idées similaires dans les religions du Proche-Orient antique. Évidemment, avec les différences que l'on attend des sociétés au stade pré- et proto-agricole et des sociétés agricoles et urbaines, comme celles de Mésopotamie et d'Égypte. Pourtant, il y a ce fait, qui nous semble essentiel : les Égyptiens, les Mésopotamiens, les Israélites, et d'autres peuples du Proche-Orient antique, sentaient le besoin de renouveler périodiquement le Monde. Ce renouvellement consistait dans un scénario culturel, dont le rite principal symbolisait la réitération de la cosmogonie. On trouvera les faits et leur interprétation dans l'abondante littérature spécialisée publiée sur ce

1. Vittorio Lanternari, *La Grande Festa* (Milan, 1959) ; M. Eliade, *Méphistophélès et l'Androgyne*, pp. 155 sq.

sujet[1] et dans un chapitre du *Mythe de* *l'Éternel Retour* (pp. 83 sq.). Rappelons toutefois qu'en Mésopotamie la Création du Monde était rituellement réitérée à l'occasion des cérémonies du Nouvel An (*akîtu*). Une série de rites réactualisait le combat de Marduk contre Tiamat (le Dragon symbolisant l'Océan primordial), la victoire du Dieu et son œuvre cosmogonique. Le « poème de la Création » (*Enuma elish*) était récité dans le Temple. Comme s'exprime H. Frankfort, « toute année nouvelle partageait un élément essentiel avec le premier jour où le monde fut créé et où le cycle des saisons fut déclenché[2] ». Mais en regardant de plus près les rites du Nouvel An, on se rend compte que les Mésopotamiens sentaient que le *commencement* était organiquement lié à une *fin* qui le précédait, que cette « fin » était de la même nature que le « Chaos » d'avant la Création, et que c'était pour cette raison que la Fin était indispensable à tout recommencement.

Comme nous l'avons rappelé, chez les Égyptiens aussi le Nouvel An symbolisait la Création. Quant au scénario du Nouvel An israélite, Mowinckel écrit que « l'une des idées maîtresses était l'intronisation de Yahweh comme roi du monde, la représentation symbolique de sa victoire sur ses ennemis, à la fois les forces du chaos et les ennemis historiques d'Israël. Le résultat de cette victoire était le renouveau de la création, de l'élection et de l'alliance, idées et rites des antiques fêtes de

1. Cf. quelques indications bibliographiques dans *Le Mythe de l'Éternel Retour*, p. 92, n° 1.
2. H. Frankfort, *Kingship and the Gods*, p. 319.

Aspects du Mythe.   3

la fertilité qui sont sous-jacents à la fête historique [1]. » Plus tard, dans l'eschatologie des prophètes, la restauration d'Israël par Jahvé était comprise comme une Nouvelle Création impliquant une sorte de retour au Paradis [2].

On ne peut évidemment pas mettre sur le même plan la réitération symbolique de la cosmogonie qui marquait le Nouvel An en Mésopotamie et en Israël. Chez les Hébreux, le scénario archaïque du renouvellement périodique du Monde a été progressivement historisé, tout en conservant quelque chose de sa signification première. Wensinck avait montré que le scénario rituel du Nouvel An, par lequel on signifiait le passage du Chaos au Cosmos, a été appliqué à des événements historiques tels que l'exode et la traversée de la Mer Rouge, la conquête de Canaan, la captivité babylonienne et le retour de l'exil, etc. [3]. De son côté, Von Rad a prouvé qu'un événement historique unique, comme, par exemple, « la constitution d'Israël au Mont Sinaï par Yahweh et son serviteur Moïse, une fois devenue effective sur le plan collectif, n'est pas vouée à demeurer dans la sphère du souvenir par la voie de la tradition orale ou du récit écrit, mais peut être soumise au renouveau rituel dans un cérémoniel », de la même manière que le renouveau cosmologique des Empires voisins [4]. Eric Voegelin a raison d'insister sur le fait que « les formes

1. S. Mowinckel, *He That Cometh* (trad. G. W. Anderson, New York, 1956), p. 26.
2. S. Mowinckel, *op. cit.*, p. 144.
3. A. J. Wensinck, « The Semitic New Year and the Origin of Eschatology » (*Acta Orientalia*, I, 1923, pp. 1923, pp. 159-199).
4. Eric Voegelin, *Order and History.* I : *Israel and Revelation* (Louisiana State University Press, 1956), p. 294.

symboliques des empires cosmologiques et d'Israël ne s'excluent pas mutuellement (...). Le renouveau rituel de l'ordre, celui des éléments symboliques élaborés dans la civilisation cosmologique, par exemple, traverse toute l'histoire de l'humanité de la fête du Nouvel An babylonien, en passant par le renouvellement du Berith par Josiah, par le renouveau sacramental du Christ jusqu'au *ritornar ai principii* de Machiavel, parce que la chute de l'ordre de l'existence et le retour de cet ordre sont un problème fondamental de l'existence humaine [1].

Par conséquent, aussi considérables que soient les différences entre les systèmes cultuels mésopotamien et israélite, il n'est pas moins évident qu'ils partagent un espoir commun dans la régénération annuelle ou périodique du Monde. En somme, on croit dans la possibilité de récupérer le « commencement » absolu, ce qui implique la destruction et l'abolition symboliques du vieux monde. La fin est donc impliquée dans le commencement et vice versa. Ceci n'a rien d'étonnant, car l'image exemplaire de ce commencement qui est précédé et suivi d'une fin est l'Année, le Temps cosmique circulaire, tel qu'il se laisse saisir dans le rythme des saisons et la régularité des phénomènes célestes.

Mais ici une précision s'impose : s'il est probable que l'intuition de l'« Année » en tant que cycle se trouve à l'origine de l'idée d'un Cosmos se renouvelant périodiquement, dans les scénarios mythico-rituels du Nouvel An [2] perce une autre idée, d'origine et de structure dif-

1. E. Voegelin, *op. cit.*, p. 299.
2. Comme, d'ailleurs, dans d'autres innombrables mythes cosmogoniques et d'origine.

férentes. C'est l'idée de la « perfection des commencements », expression d'une expérience religieuse plus intime et plus profonde, nourrie par le souvenir imaginaire d'un « Paradis perdu », d'une béatitude qui précédait l'actuelle condition humaine. Il se peut que le scénario mythico-rituel du Nouvel An ait joué un rôle tellement important dans l'histoire de l'humanité surtout parce que, en assurant le renouvellement cosmique, il donnait également l'espoir d'une récupération de la béatitude des « commencements ». L'image de l' « Année-Cercle » s'est chargée d'un symbolisme cosmico-vital ambivalent, à la fois « pessimiste » et « optimiste ». Car l'écoulement du Temps implique l'éloignement progressif des « commencements », donc la perte de la perfection initiale. Tout ce qui dure, s'effrite, dégénère et finit par périr. Il s'agit, évidemment, d'une expression « vitaliste » du Réel ; mais il ne faut pas oublier que, pour le primitif, l'être se révèle — et s'exprime — en termes de vie. La plénitude et la vigueur se trouvent au commencement : c'est ce qu'on pourrait appeler le « pessimisme » inhérent à cette conception. Mais il faut immédiatement ajouter : la plénitude, bien que très vite perdue, est périodiquement récupérable. L'Année a une fin, c'est-à-dire qu'elle est automatiquement suivie par un nouveau commencement.

L'idée que la perfection a été au commencement semble assez archaïque. Elle est, en tout cas, extrêmement répandue. C'est, d'ailleurs, une idée susceptible d'être indéfiniment réinterprétée et intégrée dans d'innombrables conceptions religieuses. Nous aurons l'occasion de discuter de quelques-unes de ces valorisations. Disons tout de suite que l'idée de la perfection des commencements a joué un rôle important dans l'élaboration systématique des cycles cosmiques de plus en plus vastes. L' « Année » ordinaire a été considérablement dilatée, en donnant naissance à une « Grande Année » ou à des cycles cosmiques d'une durée incalculable. Au fur et à mesure que le cycle cosmique devenait plus ample, l'idée de la perfection des commencements tendait à impliquer cette idée complémentaire : *pour que quelque chose de véritablement nouveau puisse commencer, il faut que les restes et les ruines du vieux cycle soient complètement anéantis.* Autrement dit, si l'on désire obtenir un commencement *absolu*, la fin d'un Monde doit être radicale. L'eschatologie n'est que la préfiguration d'une cosmogonie de l'avenir. Mais toute eschatologie insiste sur ce fait : que la Nouvelle Création ne peut avoir lieu avant que ce monde-ci ne soit définitivement aboli. Il ne s'agit plus de régénérer ce qui a dégénéré — mais d'anéantir le vieux monde afin de pouvoir le recréer *in toto.* L'obsession de la béatitude des commencements demande l'anéantissement de tout ce qui a existé et, partant, s'est dégradé, depuis la création du Monde : c'est la seule possibilité de réintégrer la perfection initiale.

Certes, toutes ces nostalgies et croyances sont déjà présentes dans les scénarios mythico-rituels du renouvellement annuel du Monde. Mais progressivement, à partir du stade proto-agricole de culture, cette idée fait son chemin, qu'il existe aussi de *véritables* (et pas seulement rituelles) destructions et re-créations du Monde, qu'il y a « retour à l'origine » dans le sens littéral du terme, c'est-à-dire régression du Cosmos à l'état amorphe, chaotique, suivie d'une nouvelle cosmogonie.

Ce sont les mythes de la Fin du Monde qui illustrent le mieux cette conception. Nous les étudierons dans le chapitre suivant. Pour leur intérêt intrinsèque certes, mais aussi parce qu'ils sont susceptibles de nous éclairer sur la fonction des mythes en général. Jusqu'ici nous avons eu affaire uniquement à des mythes cosmogoniques et d'origine, à des mythes relatant *ce qui s'est déjà passé*. Il importe maintenant de voir comment l'idée de la « perfection des commencements » a été projetée également dans un avenir atemporel. Les mythes de la Fin du Monde ont certes joué un rôle important dans l'histoire de l'humanité. Ils ont mis en évidence la « mobilité » de l' « origine » : en effet, à partir d'un certain moment, l' « origine » ne se trouve pas uniquement dans un passé mythique, mais aussi dans un avenir fabuleux. C'est, on le sait, la conclusion à laquelle sont arrivés les Stoïciens et les Néopythagoriciens, en élaborant systématiquement l'idée de l'éternel retour. Mais la notion de l' « origine » est surtout liée à l'idée de perfection et de béatitude. C'est la raison pour laquelle nous trouvons, dans les conceptions de l'eschatologie comprise comme une cosmogonie de l'avenir, les sources de toutes les croyances proclamant l'Age d'Or non seulement (ou non plus) dans le passé, mais également (ou seulement) dans l'avenir.

CHAPITRE IV

Eschatologie et cosmogonie.

LA FIN DU MONDE — DANS LE PASSÉ ET L'AVENIR

Dans une formule sommaire on pourrait dire que, pour les primitifs, la Fin du Monde a déjà eu lieu, bien qu'elle doive se reproduire dans un avenir plus ou moins éloigné. En effet, les mythes des cataclysmes cosmiques sont extrêmement répandus. Ils racontent comment le Monde a été détruit et l'humanité anéantie, à l'exception d'un couple ou de quelques survivants. Les mythes du Déluge sont les plus nombreux, et presque universellement connus (bien qu'extrêmement rares en Afrique) [1]. A côté des mythes diluviens, d'autres relatent la destruction de l'humanité par des cataclysmes de proportions cosmiques : tremblements de terre, incendies, écroulement de montagnes, épidémies, etc. Évidemment, cette Fin du

1. Cf. Sir George James Frazer, *Folk-Lore in the Old Testament*, I (Londres, 1919), pp. 329-332 ; Clyde Kluckhohn, « Recurrent Themes in Myths and Mythmaking », *Daedalus*, printemps 1959 (pp. 268-279), p. 271. On trouvera la bibliographie essentielle sur les légendes du Déluge dans Stith Thompson, *Motif-Index of Folk-Literature* (nouvelle éd., Bloomington, Indiana, 1955 sq.), I, p. 184 (A 1010).

Monde n'a pas été radicale : elle a été plutôt la Fin d'une humanité, suivie par l'apparition d'une humanité nouvelle. Mais l'immersion totale de la Terre dans les Eaux, ou sa destruction par le feu, suivie par l'émergence d'une Terre vierge, symbolisent la régression au Chaos et la cosmogonie.

Dans un grand nombre de mythes le Déluge est rattaché à une faute rituelle, qui a provoqué la colère de l'Être Suprême ; parfois il résulte simplement du désir d'un Être divin de mettre fin à l'humanité. Mais si l'on examine les mythes qui annoncent le prochain Déluge, on constate qu'une des causes principales réside dans les péchés des hommes et aussi dans la décrépitude du Monde. Le Déluge a ouvert la voie à la fois à une re-création du Monde et à une régénération de l'humanité. Autrement dit, la Fin du Monde dans le passé, et celle qui aura lieu dans l'avenir, représentent la projection gigantesque, à l'échelle macrocosmique et avec une intensité dramatique exceptionnelle, du système mythico-rituel de la fête du Nouvel An. Mais cette fois, il ne s'agit plus de ce qu'on pourrait appeler la « fin naturelle » du Monde — « naturelle » parce qu'elle coïncide avec la fin de l'Année, et donc fait partie intégrante du cycle cosmique, — mais d'une catastrophe *réelle* provoquée par les Êtres divins. La symétrie entre le déluge et le renouvellement annuel du Monde a été sentie en quelques cas, très rares (Mésopotamie, judaïsme, Mandan) [1]. Mais généralement les mythes diluviens sont indépendants des scénarios mythico-rituels du

1. Voir notre *Mythe de l'Éternel Retour* (Paris, 1949), pp. 102 sq.

Nouvel An. Ce qui s'explique aisément, car les fêtes périodiques de régénération réactualisent symboliquement la cosmogonie, l'œuvre créatrice des dieux, et non pas l'anéantissement du vieux monde : celui-ci disparaissait « naturellement », par le simple fait que la distance qui le séparait des « commencements » avait atteint la limite extrême.

En comparaison avec les mythes narrant la Fin du Monde dans le passé, les mythes se référant à une Fin à venir sont étrangement peu nombreux chez les primitifs. Comme le remarque F. R. Lehmann [1], cette rareté est peut-être due au fait que les ethnologues n'ont pas posé cette question dans leurs enquêtes. Il est parfois difficile de préciser si le mythe concerne une catastrophe passée ou à venir. Au témoignage d'E. H. Man, les Andamanais croient qu'après la Fin du Monde une nouvelle humanité, jouissant d'une condition paradisiaque, fera son apparition : il n'y aura plus ni maladies, ni vieillesse, ni mort. Les morts ressusciteront après la catastrophe. Mais, selon A. Radcliffe Brown, Man aurait combiné plusieurs versions, recueillies d'informateurs différents. En réalité, précise Radcliffe Brown, il s'agit bien d'un mythe relatant la Fin et la re-création du Monde ; mais le mythe se rapporte au passé et non pas à l'avenir. Mais comme, suivant la remarque de Lehmann, la langue andamananaise ne possède pas de temps futur [2], il

1. F. R. Lehmann, « Weltuntergang und Welterneuerung im Glauben schriftloser Völker », *Zeitschrift für Ethnologie*, LXXI, 1931 (pp. 103-115), p. 103.
2. *Ibid.*, p. 112.

n'est pas facile de décider s'il s'agit d'un événement passé ou futur.

Les plus rares parmi les mythes primitifs de la Fin sont ceux qui ne présentent pas d'indications précises concernant l'éventuelle recréation du Monde. Ainsi, dans la croyance des Kai de la Nouvelle-Guinée, le Créateur, Mâlengfung, après avoir créé le Cosmos et l'homme, s'est retiré aux extrémités du Monde, à l'horizon, et s'y est endormi. Chaque fois qu'il se retourne dans son sommeil, la Terre tremble. Mais un jour il se lèvera de sa couche et détruira le Ciel qui s'écrasera sur la Terre et mettra fin à toute vie [1]. Dans une des îles Carolines, Namolut, on enregistre la croyance que le Créateur anéantira un jour l'humanité à cause de ses péchés. Mais les dieux continueront d'exister — et cela implique la possibilité d'une nouvelle création [2]. Dans une autre île Caroline, Aurepik, c'est le fils du Créateur qui est responsable de la catastrophe. Lorsqu'il s'apercevra que le chef d'une île ne s'occupe plus de ses sujets, il submergera l'île au moyen d'un cyclone [3]. Ici encore il n'est pas certain qu'il s'agisse d'une Fin définitive : l'idée d'une punition des « péchés » implique généralement la création ultérieure d'une nouvelle humanité.

Plus difficiles à interpréter sont les croyances des Négritos de la péninsule Malacca. Ils savent qu'un jour Karei mettra fin au Monde parce

1. Richard Thurnwald, *Die Eingeborenen Australiens und der Südseeinseln* (Tübingen, 1927), pp. 26-27, d'après Ch. Keysser, *Aus dem Leben der Kaileute* (dans Neuhaus, *Deutsch Neu-Guinea,* 1911, pp. 154 sq).

2. F. R. Lehmann, *op. cit.*, p. 107.

3. *Ibid.*, p. 117.

que les humains ne respectent plus ses préceptes. Aussi, pendant l'orage, les Négritos s'efforcent-ils de prévenir la catastrophe en faisant des offrandes expiatoires de sang [1]. La catastrophe sera universelle, sans distinction des pécheurs et de non-pécheurs, et ne préludera pas, semble-t-il, à une Nouvelle Création. C'est pourquoi les Négritos appellent Karei « mauvais », et les Ple-Sakai voient en lui l'adversaire qui leur a « volé le Paradis » [2].

Un exemple singulièrement frappant est celui des Guarani du Mato Grosso. Sachant que la Terre serait détruite par le feu et par l'eau, ils partirent à la recherche du « Pays sans péché », sorte de Paradis terrestre, situé au-delà de l'Océan. Ces longs voyages, inspirés par les chamans et effectués sous leur direction, ont commencé au XIXe siècle et ont duré jusqu'en 1912. Certaines tribus croyaient que la catastrophe serait suivie d'un renouvellement du Monde et du retour des morts. D'autres tribus attendaient et désiraient la Fin définitive du Monde [3]. Nimuendaju écrivait en 1912 : « Non seulement les Guarani, mais toute la nature est vieille et fatiguée de vivre. Plus d'une fois les hommes-médecine, lorsqu'ils rencontraient en rêve Nanderuvuvu, ont entendu la Terre l'implorer : « J'ai dévoré trop de cadavres, je suis repue et épuisée. Père,

1. Cf. M. Eliade, *Traité d'Histoire des Religions*, p. 54.
2. F. R. Lehmann, *op. cit.*, p. 107.
3. Cf. E. Schader, « Der Paradiesmythos im Leben der Guarani-Indianer », *Staden-Jahrbuch*, III (São Paulo, 1955), pp. 151 sq. ; Wilhelm Koppers, « Prophetismus und Messianismus als völkerkundliches und universal-geschichtliches Problem », *Saeculum*, X (1959, pp. 38-47), pp. 42 sq ; Robert H. Lowie, « Primitive Messianism and an Ethnological Problem », *Diogenes*, n° 19 (Fall, 1957, pp. 62-72), pp. 70 sq.

fais que cela finisse! » L'eau, de son côté, supplie le Créateur de lui accorder le repos et d'éloigner d'elle toute agitation, de même les arbres (...) et la nature entière [1]. »

On trouverait difficilement une expression plus émouvante de la fatigue cosmique, du désir du repos absolu et de la mort. Mais il s'agit du désenchantement inévitable qui suit une longue et vaine exaltation messianique. Depuis un siècle, les Guarani cherchaient le Paradis terrestre, en chantant et en dansant. Ils avaient revalorisé et intégré le mythe de la Fin du Monde dans une mythologie millénariste [2].

La majorité des mythes américains de la Fin impliquent soit une théorie cyclique (comme chez les Aztèques), soit la croyance que la catastrophe sera suivie par une nouvelle Création, soit, enfin (en certaines régions de l'Amérique du Nord), la croyance à une régénération universelle effectuée sans cataclysme. (Dans ce processus de régénération seuls les pécheurs périront.) Selon les traditions aztèques, il y a eu déjà trois ou quatre destructions du Monde, et la quatrième (ou la cinquième) est attendue pour l'avenir. Chacun de ces Mondes est régi par un « Soleil », dont la chute ou la disparition marque la Fin [3].

Il nous est impossible d'énumérer ici tous les autres mythes importants des deux Amériques concernant la Fin du Monde. Un certain

---

1. Curt Nimuendaju, « Die Sagen von der Erschaffung und Vernichtung der Welt als Grundlagen der Religion der Apapocuva-Guarani », *Zeitschrift für Ethnologie*, XLVI (1914, pp. 287 sq), 335.
2. Cf. R. H. Lowie, *op. cit.*, p. 71.
3. Cf. H. B. Alexander, *Latin-American Mythology* (The Mythologie of All Races, XI, Boston, 1920), pp. 91 sq.

nombre de mythes parlent d'un couple qui
repeuplera le nouveau Monde [1]. Ainsi les
Choktaw croient que le Monde sera détruit par
le feu, mais les esprits reviendront, les os se
recouvriront de chair et les ressuscités habi-
teront de nouveau leurs anciens territoires [2].
On retrouve un mythe similaire chez les
Esquimaux : les hommes ressusciteront de
leurs os (croyance spécifique aux cultures
des chasseurs) [3]. La croyance que la catastrophe
est la conséquence fatale de la « vieillesse » et
de la décrépitude du Monde semble assez
répandue. Selon les Cherokees, « quand le monde
sera vieux et usé, les hommes mourront, les
cordes se casseront, et la terre s'abîmera dans
l'Océan ». (La terre est imaginée comme une
grande île suspendue à la voûte céleste par
quatre cordes [4].) Dans un mythe Maidu, le
Earth-Maker assure le couple qu'il avait créé
que « lorsque ce monde sera trop usé, je le
referai entièrement; et quand je l'aurai refait,
vous connaîtrez une nouvelle naissance » [5].
Un des principaux mythes cosmogoniques des
Kato, tribu Athapasca, débute avec la création

1. Mythe algonkin dans Daniel G. Brinton, *The Myths of the
New World* (2e éd. revue, New York, 1876), pp. 235-236.
Mythe wintu dans H. B. Alexander, *North American Mythology*
(Mythology of All Races, X, Boston, 1916), pp. 223 sq.
2. Adam Hodgson, *Travels in North America*, p. 280 ; Brinton,
op. cit., pp. 279-280.
3. Brinton, p. 280 : Celui d'en haut va souffler une fois sur
les os des hommes, deux fois sur les os des femmes, et ils ressusciteront. Une autre version du mythe a été publiée par Franz
Boas, *The Central Eskimo* (GRBEW, 1888), pp. 588 sq. Cf. M. Eliade,
Le Chamanisme et les techniques archaïques de l'extase (Paris, 1951),
pp. 153 sq.
4. H. B. Alexander, *North American Mythology*, p. 60.
5. *Ibid.*, p. 219 ; cf. *Ibid.*, pp. 299-300, bibliographie concernant
les mythes diluviens nord-américains.

d'un nouveau Ciel, pour remplacer le vieux, dont l'écroulement semble imminent[1]. Comme le remarque Alexander, à propos des mythes cosmogoniques de la côte pacifique, « beaucoup de récits concernant la création semblent se ramener en fait à des traditions relatives à la re-création de la terre après la grande catastrophe ; certains mythes cependant évoquent et la création et la re-création [2]. »

En somme, ces mythes de la Fin du Monde, impliquant plus ou moins clairement la re-création d'un Univers nouveau, expriment la même idée archaïque, et extrêmement répandue, de la « dégradation » progressive du Cosmos, nécessitant sa destruction et sa re-création périodiques. C'est de ces mythes d'une catastrophe finale, qui sera en même temps le signe annonciateur de l'imminente re-création du Monde, que sont sortis et se sont développés, de nos jours, les mouvements prophétiques et millénaristes des sociétés primitives. Nous reviendrons sur ces millénarismes primitifs, car ils constituent, avec le chiliasme marxiste, les seules revalorisations positives modernes du mythe de la Fin du Monde. Mais il nous faut d'abord rappeler brièvement quelle était la place du mythe de la Fin du Monde dans les religions plus complexes.

1. *Ibid.*, p. 222.
2. *Ibid.*, p. 225. Sur les mythes sud-américains concernant la Fin du Monde par le feu ou par l'eau, cf. P. Ehrenreich, *Die Mythen und Legenden des Südamerikanischen Urvölker* (Berlin, 1905), pp. 30-31. Sur les traditions sud-américaines relatives au renouvellement du Monde après la catastrophe, Claude Lévi-Strauss, dans le *Bulletin of the Bureau of American Ethnology*, CXLIII, 3, pp. 347 (Bakairi), 369 (Namicuara).

Très probablement, la doctrine de la destruction du monde (*pralaya*) était déjà connue
aux temps védiques (Atharva Veda, X, 8, 39-
40). La conflagration universelle (*ragnarök*),
suivie d'une nouvelle création, fait partie de la
mythologie germanique. Ces faits semblent
indiquer que les Indo-Européens n'ignoraient
pas le mythe de la Fin du Monde. Récemment,
Stig Wikander a indiqué l'existence d'un mythe
germanique sur la bataille eschatologique en
tout point similaire aux récits parallèles indiens
et iraniens. Mais à partir des Brâhmanas [1] et
surtout dans les Purânas, les Indiens ont laborieusement développé la doctrine des quatre
yugas, les quatre Ages du Monde. L'essentiel
de cette théorie est la création et la destruction cyclique du Monde — et la croyance dans
la « perfection des commencements ». Comme
les bouddhistes et les jaïnas partagent les mêmes idées, on peut en conclure que la doctrine
de l'éternelle création et destruction de l'Univers est une idée pan-indienne.

Ayant déjà discuté ce problème dans *Le
Mythe de l'Éternel Retour*, nous ne le reprendrons
pas ici. Rappelons seulement que « le cycle
complet se termine par une « dissolution »,
un *pralaya*, qui se répète d'une manière plus
radicale (*mahâpralaya*, la « grande dissolution »)

1. Les noms des quatre *yugas* apparaissent pour la première
fois dans *Aitareya Brâhmana*, VII, 14.

à la fin du millième cycle [1] ». Selon le Mahâ-
bharata et les Purânas [2], l'horizon s'enflammera,
sept ou douze soleils apparaîtront au firmament
et dessécheront les mers, brûleront la Terre.
Le feu Samvartaka (le Feu de l'incendie cosmique) détruira l'Univers tout entier. Ensuite,
une pluie diluvienne tombera sans arrêt pendant douze ans, et la Terre sera submergée et
l'humanité détruite (*Visnu Purâna*, 24, 25).
Sur l'Océan, assis sur le serpent cosmique Çesha,
Visnu dort plongé dans le sommeil yogique
(*Visnu Purâna*, VI, 4, 1-11.). Et puis tout
recommencera de nouveau — *ad infinitum*.

Quant au mythe de la « perfection des commencements », on le reconnaît facilement dans
la pureté, l'intelligence, la béatitude et la longévité de la vie humaine pendant le *krta yuga*,
le premier âge. Au cours des *yugas* suivants,
on assiste à une détérioration progressive aussi
bien de l'intelligence et de la morale de l'homme
que de ses dimensions corporelles et de sa longévité. Le jaïnisme exprime la perfection des
commencements et la déchéance ultérieure en
des termes extravagants. Selon Hemacandra,
au début l'homme avait une stature de
six milles et sa vie durait cent mille *purvas* (un
purva équivalait à 8 400 000 ans). Mais à la
fin du cycle sa stature atteint à peine sept cou-
dées et sa vie ne dépasse pas cent ans (Jacobi,
dans *Ère*, 1, 202). Les bouddhistes aussi insistent sur le décroissement prodigieux de la durée
de l'existence humaine : 80 000 ans, et même

1. *Le Mythe de l'Éternel Retour*, p. 170. Cf. aussi *Images et
Symboles* (Paris, 1952), pp. 80 sq.
2. Cf. Emil Abegg, *Der Messiasglaube in Indien und Iran*
(Berlin, 1928), p. 34, n. 2.

plus (« incommensurable », d'après certaines traditions) au début du cycle, et dix ans à la fin.

La doctrine indienne des âges du Monde, c'est-à-dire : l'éternelle création, détérioration, anéantissement et re-création de l'Univers, rappelle dans une certaine mesure la conception primitive du renouvellement annuel du Monde, mais avec d'importantes différences. Dans la théorie indienne, l'homme ne joue aucun rôle dans la re-création périodique du Monde ; au fond, l'homme ne désire pas cette éternelle re-création, il poursuit l'évasion du cycle cosmique [1]. Qui plus est, les dieux eux-mêmes ne semblent pas être de véritables créateurs ; ils sont plutôt les instruments au moyen desquels s'opère le processus cosmique. On voit, donc, que pour l'Inde il n'y a pas, à proprement parler, une Fin radicale du Monde ; il n'y a que des intervalles plus ou moins longs entre l'anéantissement d'un Univers et l'apparition d'un autre. La « Fin » n'a de sens qu'en ce qui concerne la condition humaine ; l'homme peut arrêter le processus de la transmigration, dans lequel il se trouve aveuglément entraîné.

Le mythe de la perfection des commencements est clairement attesté en Mésopotamie, chez les Israélites et chez les Grecs. Selon les traditions babyloniennes, les huit ou dix rois antédiluviens ont régné entre 10 800 et 72 000 ans ; par contre, les rois des premières dynasties postdiluviennes n'ont pas dépassé 1 200 ans [2].

---

1. Nous pensons, évidemment, aux élites religieuses et philosophiques, en quête d'une « délivrance » des illusions et des souffrances. Mais la religion populaire indienne accepte et valorise l'existence dans le Monde.

2. W. F. Albright, « Primitivism in Ancient Western Asia »,

Ajoutons que les Babyloniens connaissaient également le mythe d'un Paradis primordial et avaient gardé le souvenir d'une série de destructions et re-créations (sept probablement) successives de la race humaine [1]. Les Israélites partageaient des idées similaires : la perte du Paradis originel, la décroissance progressive de la longueur de la vie, le déluge qui anéantit toute l'humanité à l'exception de quelques privilégiés. En Égypte, le mythe de la « perfection des commencements » n'est pas attesté, mais on y trouve la tradition légendaire de la longueur fabuleuse de la vie des rois antérieurs à Menes [2].

En Grèce, nous relevons deux traditions mythiques distinctes mais solidaires : 1º la théorie des âges du Monde comprenant le mythe de la perfection des commencements, 2º la doctrine cyclique. Hésiode décrit, le premier, la dégénération progressive de l'humanité au cours des cinq âges (*Travaux*, 109-201). Le premier, l'Age d'Or, sous le règne de Kronos, était une sorte de Paradis : les hommes vivaient longtemps, ne vieillissaient jamais, et leur existence ressemblait à celle des dieux. La théorie cyclique fait son apparition avec Héraclite (fr. 66 [22 Bywater]), qui aura une grande influence sur la doctrine stoïcienne de l'Éternel Retour. Déjà chez Empédocle on constate l'association de ces deux thèmes mythiques ; les âges du Monde et le cycle ininterrompu de créations et de destructions. Nous n'avons pas à discuter les dif-

in Arthur O. Lovejoy et George Boas, *Primitivism and Related Ideas in Antiquity* (Baltimore, 1935, pp. 421-432), p. 422.
  1. *Ibid.*, pp. 424-426.
  2. *Ibid.*, p. 431.

férentes formes que prirent ces théories en Grèce, surtout à la suite des influences orientales. Il suffit de rappeler que les Stoïciens ont repris d'Héraclite l'idée de la Fin du Monde par le feu (*ekpyrosis*), et que Platon (*Timée*, 22, C) connaissait déjà, comme une alternative, la Fin par le Déluge. Ces deux cataclysmes rythmaient en quelque sorte la Grande Année (le *magnus annus*). Selon un texte perdu d'Aristote (*Protrept.*), les deux catastrophes avaient lieu aux deux solstices : la *conflagratio* au solstice d'été, le *diluvium* au solstice d'hiver [1].

APOCALYPSES JUDÉO-CHRÉTIENNES

On retrouve certaines de ces images apocalyptiques de la Fin du Monde dans les visions eschatologiques judéo-chrétiennes. Mais le judéo-christianisme présente une innovation capitale. La Fin du Monde sera unique, tout comme la cosmogonie a été unique. Le Cosmos qui réapparaîtra après la catastrophe sera le même Cosmos créé par Dieu au commencement du Temps, mais purifié, régénéré et restauré dans sa gloire primordiale. Ce Paradis terrestre ne sera plus détruit, n'aura plus de fin. Le Temps n'est plus le Temps circulaire de l'Éternel Retour, mais un Temps linéaire et irréversible. Plus encore : l'eschatologie représente également le triomphe d'une Histoire Sainte. Car la Fin du Monde révélera la valeur religieuse

1. On reconnaît dans ces catastrophes cosmiques les idées indiennes sur la Fin du Monde par le Feu et par l'Eau. Cf. aussi B. L. van der Waerden, « Das Grosse Jahr und die ewige Wiederkehr » (*Hermes*, 80, 1950, pp. 129 sq).

des actes humains, et les hommes seront jugés selon leurs actes. Il ne s'agit plus d'une régénération cosmique impliquant également la régénération d'une collectivité (ou de la totalité de l'espèce humaine). Il s'agit d'un Jugement, d'une sélection : seuls les élus vivront dans une éternelle béatitude. Les élus, les bons, seront sauvés par leur fidélité à une Histoire Sainte : aux prises avec les pouvoirs et les tentations de ce monde-ci, ils sont restés fidèles au Royaume céleste.

Autre différence avec les religions cosmiques : pour le judéo-christianisme, la Fin du Monde fait partie du mystère messianique. Pour les Juifs, l'arrivée du Messie annoncera la Fin du Monde et la restauration du Paradis. Pour les chrétiens, la Fin du Monde précédera la deuxième venue du Christ et le Jugement dernier. Mais pour les uns comme pour les autres le triomphe de l'Histoire Sainte — rendu manifeste par la Fin du Monde — implique en quelque sorte la restauration du Paradis. Les prophètes proclament que le Cosmos sera renouvelé : il y aura un nouveau Ciel et une nouvelle Terre. Tout sera en abondance, comme au jardin d'Éden [1]. Les bêtes sauvages vivront en paix les unes avec les autres, « sous la conduite d'un petit garçon » (Isaïe, XI, 6). Les maladies et les infirmités disparaîtront pour toujours : le boiteux bondira comme un cerf, les oreilles des sourds s'ouvriront, et il n'y aura plus de pleurs et de larmes (Isaïe, XXX, 19 ; XXXV, 3 sq). Le nouvel Israël sera bâti sur le Mont Sion, parce que le

1. Amos, IX ; 13 sq. ; Isaïe, XXX : 23 sq, ; XXXV : 1, 2, 7 ; LXV : 17 ; LXVI : 22 ; Osée, I : 10 ; II : 18 sq. ; Zacharie, VIII ; 12 ; Ezéchiel, XXXIV : 14, 27 ; XXXVI : 9 sq., 30, 35.

Paradis se trouvait sur une montagne (Isaïe, XXXV, 10 ; Ps. XLVIII, 2). Pour les chrétiens aussi la rénovation totale du Cosmos et la restauration du Paradis sont les traits essentiels de l'*eschaton*. On dit dans l'Apocalypse de Jean (XXI,1-5) : « Puis je vis un ciel nouveau, une terre nouvelle — le premier ciel, en effet, et la première terre ont disparu (...). J'entendis alors une voix clamer du trône : De mort il n'y en aura plus ; de pleur, de cri et de peine, il n'y en aura plus, car l'ancien monde s'en est allé. Alors, Celui qui siège sur le trône déclara : Voici que je fais l'univers nouveau. »

Mais cette Nouvelle Création s'élèvera sur les ruines de la première. Le syndrome de la catastrophe finale rappelle les descriptions indiennes de la destruction de l'Univers. Il y aura sécheresse et famine, et les jours seront abrégés [1]. L'époque précédant immédiatement la Fin sera dominée par l'Antéchrist. Mais le Christ viendra et purifiera le Monde par le feu. Comme s'exprime Ephrem le Syrien : « La mer mugira et puis s'asséchera, le ciel et la terre se dissoudront, partout s'étendront la fumée et les ténèbres. Pendant quarante jours le Seigneur enverra le feu sur la terre pour la purifier de la souillure du vice et du péché [2]. » Le feu destructeur est attesté une seule fois dans le Nouveau Testament, dans la deuxième Épître de Pierre (III, 6-14). Mais il constitue un élément important dans les Oracles Sibyllins, le stoïcisme et la littérature chrétienne postérieure.

---

1. W. Bousset, *The Antichrist Legend* (trad. anglaise., Londres, 1896), pp. 195 sq., 218 sq.
2. Ephrem le Syrien, reproduit par Bousset, p. 238.

Il est probablement d'origine iranienne [1].

Le règne de l'Antéchrist équivaut dans une certaine mesure à un retour au Chaos. D'une part, l'Antéchrist est présenté sous la forme d'un dragon ou d'un démon [2], et ceci rappelle le vieux mythe du combat entre Dieu et le Dragon. Le combat avait eu lieu au début, avant la Création du Monde, et il aura lieu de nouveau à la fin. D'autre part, lorsque l'Antéchrist sera considéré comme le faux Messie, son règne représentera le renversement total des valeurs sociales, morales et religieuses ; autrement dit, le retour au Chaos. Au cours des siècles, l'Antéchrist a été identifié à des personnages historiques différents, de Néron jusqu'au Pape (par Luther). Il importe de souligner un fait : certaines époques historiques, particulièrement tragiques, étaient considérées comme dominées par l'Antéchrist — mais on gardait toujours l'espoir que son règne annonçait en même temps l'imminente venue du Christ. Les catastrophes cosmiques, les fléaux, la terreur historique, le triomphe apparent du Mal, constituaient le syndrome apocalyptique [3] qui devait précéder le retour du Christ et le millénium.

MILLÉNARISMES CHRÉTIENS

Le christianisme, devenu la religion officielle de l'Empire Romain, condamna le milléna-

1. Cf. *Le Mythe de l'Éternel Retour*, pp. 185 sq.
2. Cf. W. Bousset, *The Antichrist Legend*, pp. 145 sq. ; cf. aussi R. Mayer, *Die biblische Vorstellung vom Weltenbrand* (Bonn, 1957).
3. Voir aussi A. A. Vasiliev, « Medieval Ideas of the End of the World : West and East », *Byzantion*, XVI, fasc. 2, 1942-1943 (Boston, 1944, pp. 462-502).

risme comme hérétique, bien que des Pères illustres l'eussent professé dans le passé. Mais l'Église avait accepté l'Histoire, et l'*eschaton* n'était plus l'événement imminent qu'il était pendant les persécutions. Le Monde, ce monde-ci, avec tous ses péchés, ses injustices et ses cruautés, continuait. Seul Dieu connaissait l'heure de la Fin du Monde, et une chose semblait certaine : cette Fin n'était pas pour demain. Avec le triomphe de l'Église, le Royaume céleste se trouvait déjà sur la Terre et en un certain sens le vieux monde avait été déjà détruit. On reconnaît dans l'antimillénarisme officiel de l'Église la première manifestation de la doctrine du progrès. L'Église avait accepté le Monde tel qu'il était, en s'efforçant de rendre l'existence humaine un peu moins malheureuse qu'elle n'était pendant les grandes crises historiques. L'Église avait pris cette position contre les prophètes, les visionnaires, les apocalyptiques de toute sorte.

Quelques siècles plus tard, après l'irruption de l'Islam dans la Méditerranée, mais surtout après le XIe siècle, les mouvements millénaristes et eschatologiques réapparaissent, dirigés cette fois contre l'Église ou contre sa hiérarchie. Un certain nombre de notes communes se détachent dans ces mouvements : leurs inspirateurs attendent et proclament la restauration du Paradis sur la Terre, après une période d'épreuves et de cataclysmes terribles. La Fin imminente du Monde était attendue aussi par Luther. Pendant des siècles on retrouve, à plusieurs reprises, la même idée religieuse : Ce monde-ci — le Monde de l'Histoire — est injuste, abominable, démoniaque ; heureusement, il est déjà en train de pourrir, les catastrophes ont commencé, ce vieux monde craque de tous les côtés ; très prochainement, il sera anéanti, les forces des ténèbres seront définitivement vaincues, et les « bons » triompheront, le Paradis sera recouvré. Tous les mouvements millénaristes et eschatologiques font preuve d'optimisme. Ils réagissent contre la terreur de l'Histoire avec une force que seul l'extrême désespoir peut susciter. Mais, depuis des siècles, les grandes confessions chrétiennes ne connaissent plus la tension eschatologique. L'attente de la Fin du Monde et l'imminence du jugement dernier ne caractérisent aucune des grandes Églises chrétiennes. Le millénarisme survit péniblement dans quelques sectes chrétiennes récentes.

La mythologie eschatologique et millénariste a fait sa réapparition ces derniers temps en Europe, dans deux mouvements politiques totalitaires. Bien que radicalement sécularisés en apparence, le nazisme et le communisme sont chargés d'éléments eschatologiques ; ils annoncent la Fin de ce monde-ci et le début d'une ère d'abondance et de béatitude. Norman Cohn, l'auteur du plus récent livre sur le millénarisme, écrit à propos du national-socialisme et du marxisme-léninisme : « Sous le jargon pseudo-scientifique dont l'un et l'autre se servent, on retrouve une vision des choses qui rappelle singulièrement les élucubrations auxquelles on se livrait au Moyen Age. La lutte finale, décisive des Elus (qu'ils soient « aryens » ou « prolétaires ») contre les armées du démon (Juifs ou bourgeois) ; la joie de dominer le monde ou celle de vivre dans l'égalité absolue, ou les deux à la fois, accordée, selon un décret de la

Providence, aux Élus qui trouveront ainsi une
compensation à toutes leurs souffrances ; l'accomplissement des desseins ultimes de l'histoire
dans un univers enfin débarrassé du mal, —
voilà quelques vieilles chimères que nous caressons
sons encore aujourd'hui [1]. »

LE MILLÉNARISME CHEZ LES « PRIMITIFS »

Mais c'est surtout hors du monde occidental
que le mythe de la Fin du Monde connaît, de
nos jours, un essor considérable. Il s'agit des
innombrables mouvements nativistes et millénaristes, dont les plus connus sont les « cargo
cults » mélanésiens, mais qui se rencontrent
également en d'autres régions de l'Océanie,
et aussi dans les anciennes colonies européennes
d'Afrique. Très probablement, la plupart de
ces mouvements ont surgi à la suite des contacts
plus ou moins prolongés avec le christianisme.
Bien qu'ils soient presque toujours antiblancs
et antichrétiens, la majorité de ces millénarismes aborigènes comportent des éléments
eschatologiques chrétiens. En certains cas, les
aborigènes se révoltent contre les missionnaires
justement parce que ces derniers ne se conduisent
pas comme de vrais chrétiens et, par exemple,
ne croient pas à l'imminente venue du Christ
et à la résurrection des morts. En Mélanésie,
les cargo cults ont assimilé les mythes et les
rituels du Nouvel An. Comme nous l'avons déjà
vu, les fêtes du Nouvel An impliquent la re-création symbolique du Monde. Les adhérents aux

1. Norman Cohn, *Les fanatiques de l'Apocalypse* (Paris 1963).

cargo cults croient eux aussi que le Cosmos
sera détruit et recréé, et que la tribu recouvrera
une sorte de Paradis : les morts ressusciteront,
et il n'y aura ni mort ni maladie. Mais, comme
dans les eschatologies indo-iranienne et judéo-
chrétienne, cette nouvelle création — en fait,
cette récupération du Paradis — sera précédée
d'une série de catastrophes cosmiques : la terre
tremblera, il y aura des pluies de flammes, les
montagnes s'écrouleront et rempliront les vallées, les Blancs et les aborigènes non ralliés au
culte seront annihilés, etc.

La morphologie des millénarismes primitifs est extrêmement riche et complexe. Pour
notre propos il importe de mettre en relief
quelques faits [1] : 1º les mouvements millénaristes peuvent être considérés comme un développement du scénario mythico-rituel du
renouvellement périodique du Monde ; 2º l'influence, directe ou indirecte, de l'eschatologie
chrétienne semble presque toujours hors de
doute ; 3º bien qu'attirés par les valeurs occidentales et désirant s'approprier aussi bien
la religion et l'éducation des Blancs que leurs
richesses et leurs armes, les adhérents des
mouvements millénaristes sont anti-occiden-
taux ; 4º de tels mouvements sont toujours
suscités par de fortes personnalités religieuses
de type prophétique et organisés ou amplifiés
par des politiciens ou pour des fins politiques ;
5º pour tous ces mouvements, le millénium est
imminent, mais il ne sera pas instauré sans
cataclysmes cosmiques ou catastrophes historiques.

1. Cf. M. Eliade, *Méphistophélès et l'Androgyne* (Paris, 1962),
pp. 155 sq. (« Renouvellement cosmique et eschatologie »).

Inutile d'insister sur le caractère politique, social et économique de tels mouvements : il est évident. Mais leur force, leur rayonnement, leur créativité ne résident pas uniquement en ces facteurs socio-économiques. Il s'agit de mouvements religieux. Les adhérents attendent et proclament la Fin du Monde afin de parvenir à une meilleure condition économique et sociale — mais surtout parce qu'ils espèrent dans une re-création du Monde et une restauration de la béatitude humaine. Ils ont faim et soif des biens terrestres — mais aussi de l'immortalité, de la liberté et de la béatitude paradisiaque. Pour eux, la Fin du Monde rendra possible l'instauration d'une existence humaine béatifique, parfaite et sans fin.

Ajoutons que, même là où il n'est pas question d'une fin catastrophique, l'idée d'une régénération, d'une re-création du Monde, constitue l'élément essentiel du mouvement. Le prophète ou le fondateur du culte proclame l'imminent « retour aux origines » et, par conséquent, la récupération de l'état « paradisiaque » inital. Certes, dans nombre de cas cet état paradisiaque « originel » représente l'image idéalisée de la situation culturelle et économique d'avant l'arrivée des Blancs. Ce n'est pas le seul exemple d'une mythisation de l' « état originaire », de l' « histoire ancienne » conçue comme un Age d'Or. Mais ce qui intéresse notre propos, ce n'est pas la réalité « historique » que l'on arrive parfois à isoler et à dégager de cette imagerie exubérante, mais le fait que la Fin d'un Monde — celui de la colonisation — et l'attente d'un Monde Nouveau impliquent un retour aux origines. Le personnage messianique est identifié avec le Héros culturel ou l'Ancêtre mythique dont on attendait le retour. Leur arrivée équivaut à une réactualisation des Temps mythiques de l'origine, donc à une re-création du Monde. L'indépendance politique et la liberté culturelle proclamées par les mouvements millénaristes des peuples coloniaux sont conçues comme une récupération d'un état béatifique originel. En somme, même sans une destruction apocalyptique *visible*, ce monde-ci, le vieux monde, est symboliquement aboli et le Monde paradisiaque de l'origine est instauré à sa place.

LA « FIN DU MONDE » DANS L'ART MODERNE

Les sociétés occidentales n'ont rien de comparable à l'optimisme dont font preuve l'eschatologie communiste aussi bien que les millénarismes primitifs. Au contraire, il existe aujourd'hui la peur, de plus en plus menaçante, d'une Fin catastrophique du Monde amenée par les armes thermo-nucléaires. Dans la conscience des Occidentaux, cette fin sera radicale et définitive ; elle ne sera pas suivie d'une nouvelle Création du Monde. Il ne nous est pas possible d'entreprendre ici une analyse systématique des multiples expressions de la peur atomique dans le monde moderne. Mais d'autres phénomènes culturels occidentaux nous semblent significatifs pour notre recherche. Je pense surtout à l'histoire de l'art occidental. Depuis le début du siècle, les arts plastiques, aussi bien que la littérature et la musique, ont connu des transformations si radicales qu'on a pu parler d'une « destruction du langage artistique ». Commencée dans la peinture, cette « destruction du langage » s'est étendue à la poésie, au roman et tout dernièrement, avec Ionesco, au théâtre. En certains cas, il s'agit d'un véritable anéantissement de l'Univers artistique établi. En contemplant certaines œuvres récentes, on a l'impression que l'artiste a voulu faire *tabula rasa* de toute l'histoire de la peinture. C'est plus qu'une destruction, c'est une régression au Chaos, à une sorte de *massa confusa* primordiale. Et pourtant, devant de telles œuvres, on devine que l'artiste est à la recherche de quelque chose qu'il n'a pas encore exprimé. Il lui fallait réduire au néant les ruines et les décombres accumulés par des révolutions plastiques précédentes ; il lui fallait arriver à une modalité germinale de la matière, afin de pouvoir recommencer à zéro l'histoire de l'art. Chez beaucoup d'artistes modernes on sent que la « destruction du langage plastique » n'est que la première phase d'un processus plus complexe, et que la re-création d'un nouvel Univers doit nécessairement suivre.

Dans l'art moderne, le nihilisme et le pessimisme des premiers révolutionnaires et démolisseurs représentent des attitudes déjà passées. De nos jours, aucun grand artiste ne croit à la dégénération et à l'imminente disparition de son art. De ce point de vue, leur attitude ressemble à celle des « primitifs » : ils ont contribué à la destruction du Monde — c'est-à-dire à la destruction de *leur* Monde, de leur Univers artistique — afin d'en créer un autre. Or, ce phénomène culturel est hautement important, car ce sont surtout les artistes qui représentent les véritables forces créatrices d'une civilisation ou d'une société. Par leur création, les artistes anticipent ce qui arrivera — parfois une ou deux générations plus tard — dans les autres secteurs de la vie sociale et culturelle.

Il est significatif que la destruction des langages artistiques a coïncidé avec l'essor de la psychanalyse. La psychologie des profondeurs a valorisé l'intérêt pour les origines, intérêt qui caractérise si bien l'homme des sociétés archaïques. Il serait passionnant d'étudier de près le processus de revalorisation du mythe de la Fin du Monde dans l'art contemporain. On constaterait que les artistes, loin d'être les névrosés dont on nous parle parfois, sont, au contraire, plus sains psychiquement que beaucoup d'hommes modernes. Ils ont compris qu'un vrai recommencement ne peut avoir lieu qu'après une véritable Fin. Et, les premiers parmi les modernes, les artistes se sont appliqués à détruire réellement *leur* Monde, afin de recréer un Univers artistique dans lequel l'homme puisse à la fois exister, contempler et rêver.

CHAPITRE V

Le temps peut être maîtrisé.

LA CERTITUDE D'UN NOUVEAU COMMENCEMENT

Le rapprochement que nous venons d'esquisser entre l « optimisme » des peuples récemment décolonisés et celui des artistes occidentaux aurait pu être élargi et développé. En effet, d'autres confrontations entre certaines croyances des sociétés traditionnelles et certains aspects de la culture moderne s'imposent à l'esprit. Mais nous avons réservé pour plus tard ces confrontations, afin de ne pas interrompre le développement de notre exposé. Car, si nous avons examiné le thème mythique de la Fin du Monde, c'est surtout pour mettre en évidence les rapports entre l'eschatologie et la cosmogonie. On se souvient que nous avons insisté, dans le troisième chapitre, sur l'extrême importance du scénario mythico-rituel de la régénération annuelle du Monde. Nous avons vu que ce scénario implique le motif de la « perfection des commencements » et que, à partir d'un certain moment historique, ce motif devient « mobile »; il devient apte à signifier aussi bien la perfection des commencements dans le passé mythique que celle qui s'opérera dans l'avenir, après la destruction de ce Monde. Dans le long *excursus* sur les mythes de la Fin du Monde, analysés dans le dernier chapitre, nous avons voulu mettre en relief que, même dans les eschatologies, l'essentiel n'est pas le fait de la *Fin*, mais la certitude d'un *nouveau commencement*. Or, ce re-commencement est, à proprement parler, la réplique du commencement absolu, la cosmogonie. On pourrait dire que, ici aussi, nous avons rencontré l'attitude de l'esprit qui caractérise l'homme archaïque, à savoir la valeur exceptionnelle accordée à la *connaissance des origines*. En effet, pour l'homme des sociétés archaïques, la connaissance de l'origine de chaque chose (animal, plante, objet cosmique, etc.) confère une sorte de maîtrise magique sur elle : on sait où la trouver, et comment la faire réapparaître dans l'avenir. On pourrait appliquer la même formule à propos des mythes eschatologiques : la connaissance de ce qui a eu lieu *ab origine*, de la cosmogonie, procure la science de ce qui se passera dans l'avenir. La « mobilité » de l'origine du Monde traduit l'espoir de l'homme que son Monde *sera toujours là*, même s'il est périodiquement détruit dans le sens propre du terme. Solution de désespoir ? non pas, car, l'idée de la destruction du Monde n'est pas, au fond, une idée pessimiste. Par sa propre durée, le Monde dégénère et s'épuise ; c'est pourquoi il doit être symboliquement recréé chaque année. Mais on a pu accepter l'idée de la destruction apocalyptique du Monde parce qu'on connaissait la cosmogonie, c'est-à-dire le « secret » de l'origine du Monde.

FREUD ET LA CONNAISSANCE DE L' « ORIGINE »

Inutile d'insister davantage sur la valeur « existentielle » de la connaissance de l'origine dans les sociétés traditionnelles. Le comportement n'est pas exclusivement archaïque. Le désir de connaître l'origine des choses caractérise également la culture occidentale. Le XVIIIe siècle et surtout le XIXe ont vu se multiplier les recherches concernant aussi bien l'origine de l'Univers, de la vie, des espèces ou de l'homme, que l'origine de la société, du langage, de la religion et de toutes les institutions humaines. On s'efforce de connaître l'origine et l'histoire de tout ce qui nous entoure : l'origine du système solaire aussi bien que celle d'une institution comme le mariage ou d'un jeu d'enfants comme la marelle.

Au XXe siècle l'étude scientifique des commencements a pris une autre direction. Pour la psychanalyse, par exemple, le vrai primordial est le « primordial humain », la première enfance. L'enfant vit dans un temps mythique, paradisiaque [1]. La psychanalyse a élaboré des

1. C'est pour cette raison que l'inconscient présente la structure d'une mythologie privée. On peut aller plus loin encore et affirmer non seulement que l'inconscient est « mythologique », mais aussi que certains de ses contenus sont chargés de valeurs cosmiques ; autrement dit, qu'ils reflètent les modalités, les processus et les destinées de la vie et de la matière vivante. On peut même dire que le seul contact réel de l'homme moderne avec la sacralité

97

techniques susceptibles de nous révéler les « commencements » de notre histoire personnelle et surtout d'identifier l'événement précis qui a mis fin à la béatitude de l'enfance et a décidé l'orientation future de notre existence. « En traduisant en termes de pensée archaïque, on pourrait dire qu'il y a eu un « Paradis » (pour la psychanalyse, le stade prénatal ou la période s'étendant jusqu'au sevrage) et une « rupture », une « catastrophe » (le traumatisme infantile), et, quelle que soit l'attitude de l'adulte à l'égard de ces événements primordiaux, ils ne sont pas moins constitutifs de son être [1] ».

Il est intéressant de constater que, de toutes les sciences de la vie, seule la psychanalyse aboutit à l'idée que les « commencements » de tout être humain sont béatifiques et constituent une sorte de Paradis, alors que les autres sciences de la vie insistent surtout sur la précarité et l'imperfection des commencements. C'est le processus, le devenir, l'évolution qui corrigent, peu à peu, la pénible pauvreté des « commencements ».

Deux idées de Freud intéressent notre propos : 1° la béatitude de l' « origine » et des « commencements » de l'être humain et 2° l'idée que par le souvenir ou par un « retour en arrière » on peut revivre certains incidents traumatiques de la première enfance. La béatitude de l' « origine » est, nous l'avons vu, un thème assez fréquent dans les religions

cosmique s'effectue par l'inconscient, qu'il s'agisse de ses rêves et de sa vie imaginaire, ou des créations qui surgissent de l'inconscient (poésie, jeux, spectacles, etc.).

1. M. Eliade, *Mythes, rêves et mystères*, p. 56.

archaïques ; il est également attesté dans l'Inde, l'Iran, la Grèce et le judéo-christianisme. Le fait que Freud postule la béatitude au début de l'existence humaine ne veut pas dire que la psychanalyse a une structure mythologique, ni qu'elle emprunte un thème mythique archaïque ou qu'elle accepte le mythe judéo-chrétien du Paradis et de la chute. Le seul rapprochement qu'on puisse faire entre la psychanalyse et la conception archaïque de la béatitude et la perfection de l'origine est dû au fait que Freud a découvert le rôle décisif du « temps primordial et paradisiaque » de la première enfance, la béatitude d'avant la rupture (*i. e.* le sevrage), c'est-à-dire avant que le temps devienne, pour chaque individu, un « temps vécu ».

Quant à la deuxième idée freudienne qui intéresse notre recherche, à savoir le « retour en arrière » au moyen duquel on espère pouvoir réactualiser certains événements décisifs de la première enfance, elle aussi justifie le rapprochement avec les comportements archaïques. Nous avons cité un certain nombre d'exemples mettant en relief la croyance qu'on peut réactualiser, et donc revivre, les événements primordiaux racontés dans les mythes. Mais, à quelques exceptions près (entre autres, les guérisons magiques), ces exemples illustrent le retour *collectif* en arrière. C'était la communauté tout entière, ou une section importante de cette communauté, qui revivait, par la voie des rituels, les événements rapportés dans les mythes. La technique psychanalytique rend possible un retour *individuel* au Temps de l'origine. Or, ce retour existentiel en arrière est connu aussi des sociétés archaïques et joue un rôle important dans certaines techniques psycho-physiologiques orientales. C'est ce problème que nous allons étudier maintenant.

TECHNIQUES TRADITIONNELLES DU « RETOUR EN ARRIÈRE »

Nous n'entendons nullement comparer la psychanalyse à des croyances et des techniques « primitives » ou orientales. Le but du rapprochement proposé ici est de montrer que le « retour en arrière », dont Freud a vu l'importance pour la compréhension de l'homme et, surtout, pour sa guérison, était pratiqué déjà dans les cultures extra-européennes. Après tout ce que nous avons dit sur l'espoir de renouveler le Monde en répétant la cosmogonie, il n'est pas difficile de comprendre le fondement de ces pratiques : le retour induvuel à l'origine est conçu comme une possibilité de renouveler et de régénérer l'existence de celui qui l'entreprend. Mais, comme on le verra bientôt, le « retour à l'origine » peut être effectué à toutes sortes de fins, et il est susceptible d'avoir des significations variées.

Il y a, avant tout, le symbolisme bien connu des rituels initiatiques impliquant un *regressus ad uterum*. Ayant longuement étudié ce complexe dans notre livre *Naissances mystiques*, contentons-nous ici de quelques brèves références. Dès les stades archaïques de culture, l'initiation des adolescents comporte une série de rites dont le symbolisme est transparent : il s'agit de transformer le novice en embryon, afin de le faire renaître ensuite. L'initiation équivaut à une seconde naissance. C'est par l'organe de l'initiation que l'adolescent devient à la fois un être socialement responsable et éveillé culturellement. Le retour à la matrice est signifié soit par la réclusion du néophyte dans une hutte, soit par son engloutissement symbolique par un monstre, soit par la pénétration dans un terrain sacré identifié à l'utérus de la Terre-Mère [1].

Ce qui nous intéresse ici c'est que, à côté de ces rites de puberté, caractéristiques des sociétés « primitives », il existe également dans des cultures plus complexes des rituels initiatiques comportant un *regressus ad uterum*. Pour nous limiter pour l'instant à l'Inde, on distingue ce motif dans trois types différents de cérémonies initiatiques. Il y a, pour commencer, la cérémonie *upanayama*, c'est-à-dire l'introduction du garçon auprès de son précepteur. Le motif de la gestation et de la renaissance y est nettement exprimé : il y est dit que le précepteur transforme le garçon en un embryon et le garde trois nuits dans son ventre [2]. Celui qui a effectué l'*upanayama* est « deux fois né » (*dvi-ja*). Il existe également la cérémonie *diksa*, imposée à celui qui se prépare pour le sacrifice du *soma*, et qui consiste, à proprement parler, dans le retour au stade fœtal [3]. Enfin, le *regressus ad uterum* est pareillement au centre de la cérémonie *hiranya-garbha*, littéralement

1. Cf. par exemple le rituel australien Kunapipi, décrit, d'après R. M. Berndt, dans *Naissances mystiques* (Paris, 1959), pp. 106 sq.
2. Cf. *Naissances mystiques*, pp. 113 sq.
3. *Naissances mystiques*, pp. 115 sq.

« embryon d'or ». On introduit le récipiendaire dans un vase d'or en forme de vache, et à la sortie on le considère comme un nouveau-né [1].

Dans tous ces cas, le *regressus ad uterum* est opéré dans le but de faire naître le récipiendaire à un nouveau mode d'être, ou de le régénérer. Au point de vue de la structure, le retour à la matrice correspond à la régression de l'Univers à l'état « chaotique » ou embryonnaire. Les ténèbres prénatales correspondent à la Nuit d'avant la Création et aux ténèbres de la case initiatique.

Tous ces rituels initiatiques comportant un retour à la matrice, rituels « primitifs » aussi bien qu'indiens, ont, bien entendu, un modèle mythique [2]. Il y a plus intéressant encore que les mythes en relation avec les rites initiatiques de *regressus ad uterum* : ce sont les mythes relatant les aventures des Héros ou des magiciens et des chamans qui ont opéré le *regressus* en chair et en os, et non pas symboliquement. Un grand nombre de mythes mettent en vedette : 1o l'engloutissement d'un héros par un monstre marin et sa sortie victorieuse après avoir forcé le ventre de l'engloutisseur ; 2o la traversée initiatique d'une *vagina dentata* ou la descente périlleuse dans une grotte ou une crevasse assimilées à la bouche ou à l'utérus de la Terre-Mère. Toutes ces aventures constituent en fait des épreuves initiatiques, à la suite desquelles le héros victorieux acquiert un nouveau mode d'être [3].

1. *Naissances mystiques*, pp. 118 sq.
2. Sur le modèle mythique des rituels initiatiques indiens, cf. *Naissances mystiques*, p. 117.
3. Cf. *Naissances mystiques*, 132 sq.

Les mythes et les rites initiatiques du *regressus ad uterum* mettent en évidence le fait suivant : le « retour à l'origine » prépare une nouvelle naissance, mais celle-ci ne répète pas la première, la naissance physique. Il y a proprement re-naissance mystique, d'ordre spirituel, autrement dit accès à un mode nouveau d'existence (comportant maturité sexuelle, participation au sacré et à la culture ; bref, « ouverture » à l'Esprit). L'idée fondamentale est que, pour accéder à un mode supérieur d'existence, il faut répéter la gestation et la naissance, mais on les répète rituellement, symboliquement ; en d'autres termes, on a affaire à des actions orientées vers des valeurs de l'Esprit et non pas à des comportements relevant de l'activité psycho-physiologique.

Il nous a fallu insister sur ce point pour ne pas laisser l'impression que tous les mythes et les rites de « retour à l'origine » se situent sur le même plan. Certes, le symbolisme est le même, mais les contextes différents, et c'est l'intention révélée par le contexte qui nous donne, dans chaque cas particulier, la véritable signification. Comme nous l'avons vu, sous l'angle de la structure il est possible d'homologuer les ténèbres prénatales ou celles de la case initiatique à la Nuit d'avant la Création. En effet, la Nuit d'où naît chaque matin le Soleil symbolise le Chaos primordial, et le lever du soleil est une réplique à la cosmogonie. Mais il est évident que ce symbolisme cosmogonique s'enrichit de valeurs nouvelles dans le cas de la naissance de l'Ancêtre mythique, de la naissance physique de chaque individu et de la re-naissance initiatique.

Tout ceci ressortira plus clairement des exemples que nous allons discuter à présent. Nous verrons que le « retour à l'origine » a servi de modèle à des techniques physiologiques et psycho-mentales visant aussi bien à la régénération et à la longévité qu'à la guérison et la délivrance finale. Nous avons déjà eu l'occasion de remarquer que le mythe cosmogonique se prête à des applications multiples, parmi lesquelles la guérison, la création poétique, l'introduction de l'enfant dans la société et la culture, etc. Nous avons vu également que le *regressus ad uterum* peut être homologué à une régression à l'état chaotique d'avant la Création. On comprend alors pourquoi certaines thérapeutiques archaïques utilisent le retour rituel à la matrice au lieu de la récitation cérémonielle du mythe cosmogonique. Par exemple, dans l'Inde, de nos jours encore, la médecine traditionnelle opère le rajeunissement des vieillards et la régénération des malades complètement épuisés en les enterrant dans une fosse ayant la forme de la matrice. Le symbolisme de la « nouvelle naissance » est évident. Il s'agit d'ailleurs d'une coutume attestée également en dehors de l'Inde : celle d'enterrer les malades, afin de les faire naître du sein de la Terre-Mère [1].

On retrouve également en Chine le prestige thérapeutique du « retour à l'origine ». Le taoïsme accorde une importance considérable à la « respiration embryonnaire », *t'ai-si*. Elle consiste en une respiration en circuit fermé, à la manière d'un fœtus ; l'adepte s'efforce

---

1. Cf. *Traité d'Histoire des Religions*, pp. 220 sq.

d'imiter la circulation du sang et du souffle de la mère à l'enfant et de l'enfant à la mère. La préface *T'ai-si k'eou kiue* (« Formules orales de la respiration embryonnaire ») le dit expressément : « En revenant à la base, en retournant à l'origine, on chasse la vieillesse, on retourne à l'état de fœtus [1]. » Un texte du taoïsme moderne syncrétiste s'exprime dans ces termes : « C'est pourquoi le (Bouddha) Joulai (*i. e.* Tathâgata), dans sa grande miséricorde, a révélé la méthode du travail (alchimique) du Feu et a enseigné aux hommes de *pénétrer à nouveau dans la matrice* pour refaire sa nature (véritable) et (la plénitude de) son lot de vie » [2].

Nous sommes donc en présence de deux techniques mystiques différentes mais solidaires, les deux poursuivant l'obtention du « retour à l'origine » : la « respiration embryonnaire » et le travail alchimique. On sait que ces deux techniques figurent parmi les nombreuses méthodes utilisées par les taoïstes pour conquérir la jeunesse et l'extrême longévité (l' « immortalité »). L'expérimentation alchimique doit être accompagnée d'une méditation mystique appropriée. Durant la fusion des métaux, l'alchimiste taoïste s'efforce d'opérer dans son propre corps l'union des deux principes cosmologiques, Ciel et Terre, pour réintégrer la situation chaotique primordiale, celle qui existait avant la création. Cette situation primordiale, nommée

---

1. H. Maspéro, « Les procédés de « Nourrir le Principe Vital » dans la religion taoïste ancienne (*Journal Asiatique*, avril-juin 1937, pp. 117-252, 353-430), p. 198.
2. *Houei-ming-king* de Lieou Houayang, cité par Rolf Stein, « Jardins en miniature d'Extrême-Orient » (*Bulletin de l'École Française d'Extrême-Orient*, t. XLII, Hanoï 1943, pp. 1-104), p. 97.

d'ailleurs expressément état « chaotique » (*houen*), correspond aussi bien à celle de l'œuf ou de l'embryon qu'à l'état paradisiaque et inconscient du monde incréé [1]. Le taoïste s'efforce d'obtenir cet état primordial soit par la méditation qui accompagne l'expérimentation alchimique, soit par la « respiration embryonnaire ». Mais la « respiration embryonnaire » se réduit en dernière instance à ce que les textes appellent l' « unification des souffles », technique assez complexe que nous ne pouvons pas examiner ici. Il suffit de dire que l' « unification des souffles » a un modèle cosmologique. En effet, d'après les traditions taoïstes, les « souffles » étaient, à l'origine, confondus et formaient un œuf, le Grand-Un, duquel se sont détachés le Ciel et la Terre [2].

L'idéal des taoïstes, c'est-à-dire l'obtention de la béatitude, de la jeunesse et de la longévité (l' « immortalité »), avait donc un modèle cosmologique : c'était l'état de l'unité primordiale. Nous n'avons plus ici une réactualisation du mythe cosmogonique, comme dans les rituels de guérisons que nous avons rappelés plus haut. Il ne s'agit plus de réitérer la *création cosmique*, mais de retrouver l'état qui *précédait la cosmogonie*, le « chaos ». Mais le mouvement de la pensée est le même : la santé et la jeunesse s'obtiennent par un « retour à l'origine », soit « retour à la matrice », soit retour au Grand-Un cosmique. Il est donc important de constater que, en Chine aussi, la maladie et la vieillesse sont censées être guéries par le « retour à l'origine », le seul moyen que la pensée

1. Cf. R. Stein, *op. cit.*, p. 54.
2. H. Maspéro, *op. cit.*, p. 207, n. 1.

archaïque croyait efficace pour annuler l'œuvre du Temps. Car il s'agit toujours en définitive d'abolir le Temps écoulé, de « revenir en arrière » et de recommencer l'existence avec la somme intacte de ses virtualités.

POUR SE GUÉRIR DE L'ŒUVRE DU TEMPS...

L'Inde est particulièrement intéressante à cet égard ; le Yoga et le bouddhisme y ont développé à un degré inconnu ailleurs certaines pratiques psycho-physiologiques du « retour en arrière ». Évidemment, le rituel n'est plus commandé par un but thérapeutique : on ne pratique plus le *regressus ad uterum* en vue de la guérison ou du rajeunissement, ni d'une répétition symbolique de la cosmogonie, destinée à guérir le patient par une réimmersion dans la plénitude primordiale. Le Yoga et le bouddhisme se situent sur un autre plan que les thérapeutiques primitives. Leur but ultime n'est pas la santé ou le rajeunissement — mais la maîtrise spirituelle et la délivrance. Le Yoga et le bouddhisme sont des sotériologies, des techniques mystiques, des philosophies — et, naturellement, poursuivent d'autres fins que les guérisons magiques.

Pourtant, on ne peut pas ne pas remarquer que ces techniques mystiques indiennes présentent des analogies structurelles avec les thérapeutiques archaïques. Les philosophies, les techniques ascétiques et contemplatives indiennes poursuivent toutes le même but : guérir l'homme de la douleur de l'existence dans le Temps [1]. Pour la pensée indienne, la souffrance est fondée et indéfiniment prolongée dans le monde par le *karma*, par la temporalité : c'est la loi du *karma* qui impose les innombrables transmigrations, ce retour éternel à l'existence et, partant, à la souffrance. Se délivrer de la loi karmique équivaut à la « guérison ». Le Bouddha est le « roi des médecins », son message est proclamé une « médecine nouvelle ». C'est en « brûlant » jusqu'au dernier germe d'une vie future qu'on abolit définitivement le cycle karmique et qu'on se délivre du Temps. Or, l'un des moyens de « brûler » les résidus karmiques est constitué par la technique du « retour en arrière », afin de connaître ses existences antérieures. C'est une technique pan-indienne. Elle est attestée dans les *Yoga-sûtra* (III, 18), est connue de tous les sages et les contemplatifs contemporains du Bouddha, et elle est pratiquée et recommandée par le Bouddha lui-même.

« Il s'agit de démarrer d'un instant précis, le plus proche du moment présent, et de parcourir le temps à rebours (*pratiloman*, « à rebrousse-poil ») pour arriver *ad originem*, lorsque la première existence, « éclatant » dans le monde, déclencha le Temps, et rejoindre cet instant paradoxal au-delà duquel le Temps n'existait pas, parce que rien ne s'était manifesté. On comprend le sens et le but de cette technique : celui qui remonte le temps doit nécessairement retrouver le point de départ qui, en définitive, coïncide avec la cosmogonie. Revivre ses vies passées, c'est aussi les comprendre et, jusqu'à un certain point, « brûler »

1. Cf. *Mythes, rêves et mystères*, pp. 50 sq.

ses « péchés », c'est-à-dire la somme des actes posés sous l'emprise de l'ignorance et capitalisés d'une existence à l'autre par la loi du *karma*. Mais il y a plus important : on arrive au commencement du Temps et on rejoint le Non-Temps, l'éternel présent qui a précédé l'expérience temporelle fondée par la première existence humaine déchue. Autrement dit, en partant d'un moment quelconque de la durée temporelle, on peut arriver à *épuiser* cette durée en la parcourant à rebours et déboucher finalement dans le Non-Temps, dans l'éternité. Mais c'est là transcender la condition humaine et récupérer l'état non-conditionné qui a précédé la chute dans le Temps et la roue des existences [1]. »

Le Hatha-yoga et certaines écoles tantriques utilisent la méthode dite « marcher contre le courant » (*ujâna sâdhana*) ou processus « régressif » (*ulta*), pour obtenir l'inversion de tous les processus psycho-physiologiques. Le « retour », la « régression » se traduisent, chez celui qui les réalise, par l'anéantissement du Cosmos et, par conséquent, opère la « sortie du Temps », l'accès à l' « immortalité ». Or, dans la conception tantrique, l'immortalité ne peut s'obtenir qu'en *arrêtant la manifestation*, donc le processus de désintégration ; il faut marcher « contre le courant » (*ujâna sâdhana*) et retrouver l'Unité primordiale, celle qui existait *in illo tempore*, avant la Création [2]. Il s'agit donc de réaliser, dans son propre être, le processus de résorption cosmique, et revenir à l' « origine ». La *Shivasa-*

1. *Ibid.*, pp. 51-52.
2. M. Eliade, *Le Yoga, Immortalité et Liberté* (Paris, 1954), pp. 270 sq.

mhitâ (I, 69 sq.) propose un exercice spirituel assez significatif : après avoir décrit la création de l'Univers par Shiva, le texte décrit le processus inverse de résorption cosmique, tel qu'il doit être *vécu, expérimenté* par le yogî. Celui-ci *voit* comment l'élément Terre devient « subtil » et se dissout dans l'élément Eau, et comment l'Eau se dissout dans le Feu, le Feu dans l'Air, l'Air dans l'Éther, etc., jusqu'à ce que tout se résorbe dans le Grand Brahman [1]. Le yogin assiste au *processus inverse de la Création*, il « revient en arrière », jusqu'à l' « origine ». On peut rapprocher cet exercice yogique de la technique taoïste poursuivant le « retour à l'œuf » et au Grand-Un primordial.

Répétons-le : nous n'entendons pas mettre sur le même plan les techniques mystiques indochinoises et les thérapeutiques primitives. Il s'agit de phénomènes culturels différents. Mais il est significatif de constater une certaine continuité du comportement humain à l'égard du Temps à travers les âges et dans de multiples cultures. On peut définir ce comportement de la façon suivante : *pour se guérir de l'œuvre du Temps, il faut « revenir en arrière » et rejoindre le « commencement du Monde »*. Nous venons de voir que ce « retour à l'origine » a été diversement valorisé. Dans les cultures archaïques et paléorientales, la réitération du mythe cosmogonique avait comme but l'abolition du Temps écoulé et le recommencement d'une nouvelle existence, avec les forces vitales intactes. Pour les « mystiques » chinois et hindous, le but n'était plus de recommencer une nouvelle exis-

1. *Le Yoga*, p. 272.

tence ici-bas, sur la terre, mais de « revenir en arrière » et de réintégrer le Grand-Un primordial. Mais, dans ces exemples comme dans tous les autres que nous avons cités, l'élément spécifique et décisif était toujours le « retour à l'origine ».

RÉCUPÉRER LE PASSÉ

Nous avons rappelé ces quelques exemples afin de confronter deux catégories de techniques : 1º la psychanalyse et 2º les méthodes archaïques et orientales comportant divers procédés de « retour à l'origine », ordonnés d'ailleurs à des buts multiples. Notre propos n'était pas de discuter longuement ces procédés, mais de montrer que le retour existentiel à l'origine, bien que spécifique de la mentalité archaïque, ne constitue pas une conduite propre à cette mentalité. Freud a élaboré une technique analogue, afin de permettre à un individu moderne de récupérer le contenu de certaines expériences « originelles ». Nous avons vu qu'il existe plusieurs possibilités de revenir en arrière, mais les plus importantes sont : 1º la réintégration prompte et directe de la situation première (soit le Chaos ou l'état pré-cosmogonique, soit le moment de la création), et 2º le retour progressif à l' « origine », en remontant le Temps, à partir de l'instant présent jusqu'au « commencement absolu ». Dans le premier cas, il s'agit d'une abolition vertigineuse, voire instantanée, du Cosmos (ou de l'être humain en tant que résultat d'une certaine durée temporelle) et la restauration de la situation originelle (le

« Chaos » ou — au niveau anthropologique — la « semence », l' « embryon »). La ressemblance est évidente entre la structure de cette méthode et celle des scénarios mythico-rituels de régression précipitée au « Chaos » et la réitération de la cosmogonie.

Dans le deuxième cas, celui du retour progressif à l'origine, nous avons affaire à une remémoration méticuleuse et exhaustive des événements personnels et historiques. Certes, dans ce cas aussi le but ultime est de « brûler » ces souvenirs, de les abolir en quelque sorte en les revivant et en se détachant d'eux. Mais il ne s'agit plus de les effacer instantanément afin de rejoindre le plus vite possible l'instant originel. Au contraire, l'important est de se remémorer même les détails les plus insignifiants de l'existence (présente ou antérieure), car c'est uniquement grâce à ce souvenir qu'on arrive à « brûler » son passé, à le maîtriser, à l'empêcher d'intervenir dans le présent.

On voit la différence avec le premier type, dont le modèle est l'abolition instantanée du Monde et sa re-création. Ici, la *mémoire* joue le rôle capital. On se délivre de l'œuvre du Temps par la remembrance, par l'*anámnèsis*. L'essentiel est de se rappeler tous les événements dont on a été témoin dans la durée temporelle. Cette technique est donc solidaire de la conception archaïque que nous avons longuement discutée, à savoir l'importance de connaître l'origine et l'histoire d'une chose, afin de pouvoir la maîtriser. Certes, la remontée du temps à rebours implique une expérience tributaire de la mémoire personnelle, tandis que la connaissance de l'origine se réduit à l'appréhension d'une histoire primordiale exemplaire, d'un mythe. Mais les structures sont homologables : il s'agit toujours de se rappeler, en détail et très précisément, ce *qui s'est passé aux commencements*, et depuis lors.

Nous touchons ici à un problème capital non seulement pour l'intelligence du mythe, mais surtout pour le développement ultérieur de la pensée mythique. La connaissance de l'origine et de l'histoire exemplaire des choses confère une sorte de maîtrise magique sur les choses. Mais cette connaissance ouvre également la voie aux spéculations systématiques sur l'origine et les structures du Monde. Nous reviendrons sur ce problème. Il nous faut cependant préciser dès maintenant que la mémoire est considérée comme la connaissance par excellence. Celui qui est capable de *se ressouvenir* dispose d'une force magico-religieuse plus précieuse encore que celui qui *connaît* l'origine des choses. Dans l'Inde ancienne, par exemple, on distingue clairement la différence entre la connaissance « objective » de l'origine des différentes réalités et la connaissance « subjective », basée sur la mémoire des existences antérieures. « Nous connaissons, ô rêve, ton lieu de naissance (*janitram*) », s'exclame l'auteur d'un mythe de l'*Atharva Veda* (VI, 46, 2). « Nous savons, ô Agni, que ton lieu de naissance est triple » (*Ibid.*, XIII, 3, 21). Grâce à cette connaissance de l'origine (« le lieu de naissance »), l'homme réussit à se défendre contre le rêve et il est capable de manipuler impunément le feu.

Mais la connaissance de ses propres existences antérieures, i. e. de son « histoire » personnelle, confère quelque chose de plus : une science de type sotériologique et la maîtrise de son propre destin. Celui qui se souvient de ses « naissances » (= origine) et de ses vies antérieures (= durées constituées par une série considérable d'événements subis) réussit à se délivrer des conditionnements karmiques ; en d'autres termes, il devient le maître de sa destinée. C'est pourquoi la « mémoire absolue » — celle du Bouddha, par exemple — équivaut à l'omniscience et confère à son possesseur le pouvoir de Cosmocrate. Ananda et d'autres disciples de Bouddha se « souvenaient des naissances », étaient de « ceux qui se souvenaient des naissances ». Vâmadeva, auteur d'un célèbre hymne rigvédique, disait de lui-même : « me trouvant dans la matrice, j'ai connu toutes les naissances des dieux » (*Rig Veda*, IV, 27, 1). Krishna, lui aussi, « connaît toutes les existences » (*Bhagavad-Gîtâ*, IV, 5) [1]. Tous — dieux, Bouddhas, sages, yogis — se rangent parmi *ceux qui savent*.

La connaissance des existences antérieures ne constitue pas une technique exclusivement indienne. Elle est attestée chez les chamans. Nous allons voir qu'elle a joué un rôle important dans les spéculations philosophiques grecques. Mais ce qu'il importe de souligner pour l'instant, c'est que le prestige exceptionnel de la connaissance des « origines » et de l' « histoire » ancienne (c'est-à-dire des existences antérieures) dérive, en dernière instance, de l'importance accordée à la connaissance des mythes « existentiels » et « historiques », des

---

1. Cf. *Mythes, rêves et mystères*, p. 52.

mythes relatant la constitution de la condition humaine. Comme nous l'avons dit, cette condition a une « histoire » : certains événements décisifs ont eu lieu pendant l'époque mythique, et c'est ensuite que l'homme est devenu tel qu'il est actuellement. Or, cette histoire primordiale, dramatique et parfois même tragique, non seulement doit être *connue*, mais elle doit être continuellement *remémorée*. On verra plus loin les conséquences de cette décision, prise par l'homme archaïque à un certain moment de son histoire, de revivre continuellement les crises et les tragédies de son passé mythique.

CHAPITRE VI

Mythologie, ontologie, histoire.

L'ESSENTIEL PRÉCÈDE L'EXISTENCE

Pour l'*homo religiosus*, l'essentiel précède
l'existence. Ceci est vrai aussi bien pour
l'homme des sociétés « primitives » et orientales
que pour le juif, le chrétien et le musulman.
L'homme est tel qu'il est aujourd'hui parce
qu'une série d'événements ont eu lieu *ab
origine*. Les mythes lui racontent ces événements
et, ce faisant, lui expliquent comment et
pourquoi il a été constitué de cette façon.
Pour l'*homo religiosus* l'existence réelle, authentique, commence au moment où il reçoit la
communication de cette histoire primordiale
et en assume les conséquences. Il y a toujours
histoire divine, car les personnages sont les
Êtres Surnaturels et les Ancêtres mythiques.
Un exemple : l'homme est mortel parce qu'un
Ancêtre mythique a perdu, stupidement, l'immortalité, ou parce qu'un Être Surnaturel a
décidé de la lui enlever, ou parce qu'à la suite
d'un certain événement mythique, il s'est
trouvé doué à la fois de sexualité et de mortalité, etc. Certains mythes expliquent l'origine

de la mort par un accident ou par une inad-
vertance : le messager du Dieu, un animal,
oublie le message ou, paresseux, arrive trop
tard, etc. C'est une manière pittoresque d'exprimer l'absurdité de la mort. Mais dans ce
cas aussi l'histoire reste une « histoire divine »,
parce que l'auteur du message est un Être
Surnaturel, et, en fin de compte, il aurait pu,
s'il avait voulu, annuler l'erreur de son messager.

S'il est vrai que les événements essentiels
ont eu lieu *ab origine*, ces événements ne
sont pas les mêmes pour toutes les religions.
L'« essentiel » est, pour le judéo-christianisme,
le drame du Paradis, qui a fondé l'actuelle
condition humaine. Pour le Mésopotamien,
l'essentiel est la formation du Monde au moyen
du corps déchiqueté du monstre marin Tiamat
et la création de l'homme au moyen du sang
de l'archi-démon Kingu, mélangé avec un
peu de terre (en somme, avec une substance
directement dérivée du corps de Tiamat).
Pour un Australien, l'« essentiel » se réduit à
une série d'actions effectuées par les Êtres
Surnaturels dans les « Temps du rêve ».

Il n'est pas possible de présenter ici tous les
thèmes mythiques qui représentent — pour
les différentes religions — l'« essentiel », le
drame primordial qui a constitué l'homme tel
qu'il est aujourd'hui. Il suffit de rappeler les
types les plus importants. Aussi bien ce qui
nous intéresse d'abord à ce point de la recherche,
c'est de découvrir les attitudes de l'*homo
religiosus* par rapport à cet « essentiel » qui
le précède. Nous supposons *a priori* qu'il a pu
y avoir plusieurs attitudes, parce que, nous

venons de le voir, le contenu de cet « essentiel »
qui s'est décidé dans les Temps mythiques
varie d'une vision religieuse à une autre.

DEUS OTIOSUS

Un grand nombre de tribus primitives,
surtout celles arrêtées au stade de la cueillette
et de la chasse, connaissent un Être Suprême :
mais il ne joue presque aucun rôle dans la vie
religieuse. On sait d'ailleurs peu de choses sur
lui, ses mythes sont peu nombreux et, en général,
assez simples. Cet Être Suprême est censé
avoir créé le Monde et l'homme, mais il a
abandonné assez vite ses créations et s'est
retiré au Ciel. Parfois il n'a pas même achevé
la création, et c'est un autre Être divin, son
« Fils » ou son représentant, qui s'est chargé
de la besogne. Nous avons discuté ailleurs la
transformation de l'Être Suprême en *deus
otiosus*, nous nous limiterons ici à quelques
exemples [1]. Chez les Selk'nam de la Terre de
Feu, le Dieu, qui s'appelle « Habitant du Ciel »
ou « Celui qui est dans le Ciel », est éternel,
omniscient, tout-puissant, mais la création a
été achevée par les Ancêtres mythiques, créés
eux aussi par l'Être Suprême avant de se
retirer au-delà des étoiles. Ce Dieu vit isolé
des hommes, indifférent aux affaires du monde.
Il n'a pas d'images, ni de prêtre. On ne lui
adresse de prières qu'en cas de maladie (« Toi,
d'en haut, ne me prends pas mon enfant ; il
est encore trop petit ») et on lui fait des offrandes
spécialement pendant les intempéries.

1. Cf. *Traité d'Histoire des Religions*, pp. 53 sq.

Les Yorubas de la Côte des Esclaves croient en un Dieu du Ciel nommé Olorum (littéralement : « Propriétaire du Ciel ») qui, après avoir commencé la création du monde, laisse le soin de l'achever et de le gouverner à un dieu inférieur, Obatala. Quant à lui, il se retira définitivement des affaires terrestres et humaines, et il n'existe ni temples ni statues, ni prêtres de ce Dieu suprême devenu *deus otiosus*. Il est néanmoins invoqué en dernier recours en temps de calamité.

Retiré dans le Ciel, Ndyambi, le dieu suprême des Héréros, a abandonné l'humanité à des divinités inférieures. « Pourquoi lui offrir ons-nous des sacrifices ? explique un indigène. Nous n'avons pas à le craindre, car, au contraire de nos morts, il ne nous fait aucun mal [1]. » L'Être Suprême des Tumbukas est trop grand « pour s'intéresser aux affaires ordinaires des hommes ». Dzingbé (« le Père Universel ») des Ewé n'est invoqué que pendant la sécheresse : « O ciel, à qui nous devons nos remerciements, grande est la sécheresse ; fais qu'il pleuve, que la terre se rafraîchisse et que prospèrent les champs [2] ! » L'éloignement et le désintéressement de l'Être Suprême sont admirablement exprimés dans un dicton de Gyriamas de l'Afrique Orientale qui dépeint ainsi leur Dieu : « Mulugu (Dieu) est en haut, mes mânes sont en bas ! » Les Bantous disent : « Dieu, après avoir créé l'homme, ne se préoccupe plus du tout de lui. » Et les Négrillos répètent : « Dieu s'est éloigné de nous [3] ! »

1. *Traité*, p. 55.
2. *Traité*, p. 55.
3. *Traité*, pp. 55-56.

Comme on le voit par ces quelques exemples, l'Être Suprême semble avoir perdu l'*actualité religieuse* ; il est absent du culte et les mythes montrent qu'il s'est retiré loin des humains, il est devenu un *deus otiosus*. Le phénomène se vérifie d'ailleurs dans les religions plus complexes de l'Orient antique et du monde indo-méditerranéen : au Dieu céleste créateur, omniscient et tout-puissant, se substitue un Dieu Fécondateur, parèdre de la Grande Déesse, épiphanie des forces génératrices de l'Univers [1].

A certains égards, on peut dire que le *deus otiosus* est le premier exemple de le « mort de Dieu » frénétiquement proclamée par Nietzsche. Un Dieu créateur qui s'éloigne du culte finit par être oublié. L'oubli de Dieu, comme sa transcendance absolue, est une expression plastique de son inactualité religieuse ou, ce qui revient au même, de sa « mort ». La disparition de l'Être Suprême ne s'est pas traduite par un appauvrissement de la vie religieuse. Au contraire, on pourrait dire que les vraies « religions » apparaissent *après* sa disparition : les mythes les plus riches et les plus dramatiques, les rituels les plus extravagants, les dieux et les déesses de toute espèce, les Ancêtres, les masques et les sociétés secrètes, les temples, les sacerdoces, etc. — on rencontre tout ceci dans les cultures qui ont dépassé le stade de la cueillette et de la petite chasse, et où l'Être Suprême est soit absent (oublié ?), soit fortement amalgamé avec d'autres Figures divines, à tel point qu'il n'est plus reconnaissable.

1. Cf. *Traité*, pp. 68 sq.

L' « éclipse de Dieu » dont parle Martin Buber, l'éloignement et le silence de Dieu qui obsèdent certains théologiens contemporains, ne sont pas des phénomènes modernes. La « transcendance » de l'Être Suprême a toujours servi d'excuse pour l'indifférence de l'homme à son égard. Même lorsqu'on se souvient encore de lui, le fait que Dieu soit *si lointain* justifie toute sorte de négligences, sinon l'indifférence totale. Les Fang de l'Afrique Équatoriale le disent avec simplicité, mais avec beaucoup de courage :

> « *Dieu (Nzame) est en haut, l'homme en bas.*
> *Dieu c'est Dieu, l'homme c'est l'homme*
> *Chacun chez soi, chacun en sa maison* » [1].

C'était, d'ailleurs, le point de vue de Giordano Bruno : Dieu « come assoluto, non ha che far con noi » (*Spaccio della bestia trionfante*).

Il y a lieu pourtant à une remarque : il arrive que l'on se rappelle l'Être Suprême oublié ou négligé, notamment lors d'une menace venant des régions célestes (sécheresse, orage, épidémies, etc.). Qu'on se reporte aux quelques exemples cités plus haut (p. 3-4). En général, on ne fait appel à ce Dieu oublié qu'à bout de ressources, lorsque toutes les démarches faites auprès d'autres figures divines ont échoué. Le Dieu suprême des Oraons est Dharmesh. En cas de crise, on lui sacrifie un coq blanc et on s'écrie : « Nous avons tout tenté, mais nous avons encore toi pour nous secourir... O Dieu! tu es notre Créateur. Aie

---

1. *Traité*, p. 56.

pitié de nous [1] ! » De même les Hébreux s'éloi-
gnaient de Jahvé et se rapprochaient des
Ba'als et des Ashtartés chaque fois que l'*histoire* le leur permettait, chaque fois qu'ils
vivaient une époque de paix et de prospérité
économique relative, mais ils étaient ramenés
de force vers Dieu par les catastrophes historiques. « Alors, ils crièrent à l'Éternel et
dirent : nous avons péché car nous avons
abandonné l'Éternel et nous avons servi les
Ba'als et les Ashtartés ; mais maintenant,
délivre-nous des mains de nos ennemis, et
nous te servirons » (I Samuel, XIII, 10).

Mais même lorsque le Dieu suprême a complètement disparu du culte et est « oublié », son souvenir survit, camouflé, dégradé dans les mythes
et les contes du « Paradis » primordial, dans les
initiations et les récits des chamans et des
medicine-men, dans le symbolisme religieux
(les symboles du Centre du Monde, du vol
magique et de l'ascension, les symboles célestes
et de la lumière, etc.) et dans certains types de
mythes cosmogoniques. Il y aurait beaucoup
à dire sur le problème de l'oubli d'un Être
Suprême au niveau « conscient » de la vie
religieuse collective et de sa survivance larvée
au niveau de l'« inconscient », ou au niveau du
symbole, ou, enfin, dans les expériences extatiques de quelques privilégiés. Mais la discussion de ce problème nous éloignerait trop de
notre propos. Disons seulement que la survivance d'un Être Suprême dans des symboles
ou dans les expériences extatiques individuelles
n'est pas sans conséquence pour l'histoire

---

1. J. G. Frazer, *The Worship of Nature* (Londres, 1926), p. 631.

religieuse de l'humanité archaïque. Il suffit
parfois d'une expérience semblable ou de la
méditation prolongée sur un des symboles
célestes, pour qu'une forte personnalité religieuse redécouvre l'Être Suprême. C'est grâce
à de telles expériences ou réflexions qu'en
certains cas la communauté tout entière
renouvelle radicalement sa vie religieuse.

En somme, pour toutes ces cultures primitives qui ont connu un Être Suprême mais
l'ont plus ou moins oublié, l' « essentiel » consiste dans ces éléments caractéristiques :
1º Dieu a créé le Monde et l'homme, puis s'est
retiré au Ciel ; 2º cet éloignement s'est accompagné parfois d'une rupture de communications
entre Ciel et Terre, ou de l'éloignement considérable du Ciel ; dans certains mythes, la
proximité initiale du Ciel et la présence de
Dieu sur la Terre constituent un syndrome
paradisiaque (auquel il faut ajouter l'immortalité originelle de l'homme, ses rapports
amicaux avec les animaux et l'absence de la
nécessité de travailler) ; 3º la place de ce *deus
otiosus* plus ou moins oublié a été occupée par
diverses divinités qui ont ceci de commun
qu'elles sont plus proches de l'homme, et
l'aident ou le persécutent d'une manière plus
directe et plus suivie.

Il est remarquable que l'homme des sociétés
archaïques, en général très attentif à ne pas
oublier les actes des Êtres Surnaturels dont
lui parlent ses mythes, ait oublié le Dieu
créateur devenu *deus otiosus*. Le Créateur ne
survit dans le culte que lorsqu'il se présente
sous la forme d'un Démiurge ou d'un Être
Surnaturel qui a façonné le paysage familier

(le « Monde ») ; c'est le cas en Australie. A l'occasion des cérémonies de renouvellement du Monde, cet Être Surnaturel est rendu rituellement présent. On comprend la raison : ici, le « Créateur » est également l'auteur de la nourriture. Il n'a pas créé seulement le Monde et les Ancêtres, il a également produit les animaux et les plantes qui permettent aux humains de vivre [1].

LA DIVINITÉ ASSASSINÉE

A côté des Dieux Suprêmes et créateurs qui deviennent des *dii otiosi* et s'éclipsent, l'histoire des religions connaît des Dieux qui disparaissent de la surface de la Terre, mais disparaissent parce qu'ils ont été mis à mort par les hommes (plus précisément, par les Ancêtres mythiques). Contrairement à la « mort » du *deus otiosus*, qui ne laisse qu'un vide vite rempli d'ailleurs par d'autres Figures religieuses, la mort violente de ces divinités est *créatrice*. Quelque chose de très important pour l'existence humaine apparaît à la suite de leur mort. Plus encore : cette création participe à la substance de la divinité assassinée et, par conséquent, en prolonge en quelque sorte l'existence. Assassinée *in illo tempore*, la divinité survit dans les rites par lesquels le meurtre est périodiquement réactualisé ; en d'autres cas, elle survit surtout dans les formes vivantes (animaux, plantes) qui ont surgi de son corps.

La divinité assassinée n'est *jamais* oubliée,

1. Ajoutons pourtant que l'Australie aussi connaît des *dii otiosi* ; cf. *Traité*, p. 50.

bien qu'on puisse oublier tels détails de son mythe. On peut d'autant moins l'oublier que c'est surtout après sa mort qu'elle devient indispensable aux humains. Nous verrons tout à l'heure qu'en maints cas elle est présente dans le corps même de l'homme, surtout par les aliments qu'il consomme. Mieux : la mort de la divinité change radicalement le mode d'être de l'homme. Dans certains mythes, l'homme devient lui aussi mortel et sexué. Dans d'autres mythes, l'assassinat inspire le scénario d'un rituel initiatique, c'est-à-dire de la cérémonie qui transforme l'homme « naturel » (l'enfant) en homme culturel.

La morphologie de ces divinités est extrêmement riche et leurs mythes sont nombreux. Pourtant il y a quelques notes communes qui sont essentielles : ces divinités *ne sont pas cosmogoniques* ; elles ont apparu sur la Terre *après* la Création et n'y sont pas restées longtemps ; assassinées par les hommes, elles ne se sont pas vengées et n'ont même pas gardé rancune aux assassins ; au contraire, elles leur ont montré comment tirer profit de leur mort. L'existence de ces divinités est à la fois mystérieuse et dramatique. La plupart du temps, on ignore leur origine : on sait seulement qu'elles sont venues sur la Terre afin d'être utiles aux hommes, et que leur œuvre maîtresse dérive directement de leur mort violente. On peut dire aussi que ces divinités sont les premières dont l'histoire anticipe l'histoire humaine : d'une part, leur existence est limitée dans le Temps ; d'autre part, leur mort tragique est constitutive pour la condition humaine.

Dans l'état actuel de la recherche, il est difficile de préciser à quel stade culturel s'est nettement articulé ce type de divinités. Comme l'a montré Jensen, et comme nous le verrons dans un instant, les exemples les plus spécifiques se rencontrent chez les paléo-cultivateurs, c'est-à-dire chez les cultivateurs de tubercules. Mais ce type de divinité est également attesté en Australie et, semble-t-il, très rarement, chez les chasseurs africains. Voici un mythe australien : un géant anthropomorphe, Lumaluma, qui était en même temps une baleine, arriva de la côte et, se dirigeant vers l'Ouest, mangea tous les hommes qu'il rencontra sur son chemin. Les survivants se demandaient pourquoi leur nombre diminuait. Ils se mirent à guetter et découvrirent la baleine sur la plage, le ventre plein. Ayant donné l'alarme, ils se rassemblèrent et, le matin suivant, attaquèrent la baleine avec des lances. Ils lui ouvrirent le ventre et en retirèrent les squelettes. La baleine leur dit : « Ne me tuez pas, et avant ma mort je vais vous montrer tous les rituels initiatiques que je connais. » La baleine effectua le rituel *ma'raiin*, en montrant aux hommes comment il faut danser et tout le reste. « Nous faisons ceci, leur dit-elle, et vous faites ceci : tout ceci je vous le donne et je vous montre tout ceci. » Après leur avoir enseigné le rituel *ma'raiin*, la baleine leur en révéla d'autres. Finalement, elle se retira dans la mer et leur dit « Ne m'appelez plus Lumaluma, je change mon nom. Vous m'appellerez *nauwulnauwul* parce que je vis maintenant dans l'eau salée [1]. »

1. Ronald M. Berndt, *Djanggawul. An aboriginal cult of North-Eastern Arnhem Land* (New York, 1953), pp. 139-141. Cf. aussi dans *Naissances mystiques*, p. 106, le mythe du python Lu'ningu

126

Le géant anthropomorphe-baleine avalait les hommes afin de les initier. Les hommes ne le savaient pas, et ils l'ont tué, mais avant de « mourir » (c'est-à-dire avant de se changer définitivement en baleine), Lumaluma leur révéla les rituels initiatiques. Or, ces rituels symbolisent plus ou moins explicitement une mort suivie d'une résurrection.

Dans la tribu australienne Karadjeri, les deux frères Bagadjimbiri ont eu un sort similaire. Dans les « Temps du rêve » ils ont émergé du sol sous la forme de dingos, mais sont devenus ensuite deux géants humains. Ils ont modifié le paysage et ont civilisé les Karadjeri, en leur révélant, entre autres, les rituels initiatiques. Mais un homme (i.e. un Ancêtre mythique), les tua avec une lance. Ressuscités par le lait de leur mère, les Bagadjimbiri se transformèrent en serpents d'eau, tandis que leurs esprits élevaient au Ciel et devenaient ce que les Européens appellent les nuages de Magellan. Depuis lors, les Karadjeri se comportent exactement comme les deux frères mythiques et imitent minutieusement tout ce qu'ils révélaient à leurs Ancêtres, en premier lieu les cérémonies d'initiation [1].

L'exemple africain qui suit est celui d'une société secrète des Mandja et des Banda, mais il y a des raisons de supposer que le même scénario est attesté à des niveaux culturels plus archaïques. La société s'appelle Ngakola et

qui engloutissait les jeunes gens et les rendait morts. Les hommes le tuèrent, mais lui élevèrent ensuite un monument qui le représentait : ce sont deux poteaux rituels, qui jouent un rôle dans le cérémonial secret Kunapipi.

1. R. Piddington, cité dans *Mythes, rêves et mystères,* pp. 257 sq.

les rituels initiatiques réactualisent ce mythe. Ngakola vivait autrefois sur la terre. Il avait le corps très noir et couvert de longs poils. Nul ne savait d'où il venait, mais il vivait dans la brousse. Il avait le pouvoir de tuer un homme et de le ressusciter. Il s'adressa aux hommes : « Envoyez-moi des gens, je les mangerai et les vomirai rénovés ! » On suivit son conseil, mais comme Ngakola ne rendit que la moitié de ceux qu'il avait avalés, les hommes décidèrent de l'abattre : ils lui donnèrent « à manger de grandes quantités de manioc dans lequel on avait mêlé des pierres, si bien que l'on réussit ainsi à affaiblir le monstre et qu'on put le tuer à coups de couteaux et de sagaies ». Ce mythe fonde et justifie les rituels de la société secrète. Une pierre plate sacrée joue un grand rôle dans les cérémonies initiatiques. Selon la tradition, cette pierre sacrée a été retirée du ventre de Ngakola. Le néophyte est introduit dans une case qui symbolise le corps du monstre. C'est là qu'il entend la voix lugubre de Ngakola, c'est là qu'il est fouetté et soumis à des tortures ; car on lui dit qu' « il est entré maintenant dans le ventre de Ngakola » et qu'il est en train d'être digéré. Les autres initiés chantent en chœur : « Ngakola, prends nos entrailles à tous ; Ngakola, prends nos foies à tous ! » Après avoir affronté d'autres épreuves, le maître initiateur annonce finalement que Ngakola, qui avait mangé le néophyte, vient de le rendre [1].

Comme nous l'avons dit, ce mythe et ce rituel rassemblent à d'autres initiations africaines de type archaïque. En effet, les rites africains

1. E. Anderson, cité dans *Mythes, rêves et mystères*, pp. 273.

de puberté comportant la circoncision se laissent ramener aux éléments suivants : les Maîtres initiateurs incarnent les Fauves divins et « tuent » les novices en les circoncisant ; ce meurtre initiatique est fondé sur un mythe où intervient un Animal primordial, qui tuait les humains afin de les ressusciter « changés » ; l'Animal avait lui-même fini par être abattu, et cet événement mythique est rituellement réitéré par la circoncision des novices ; « tué » par la bête fauve (représentée par le maître initiateur), le novice ressuscite par la suite en revêtant sa peau [1].

On peut reconstituer le thème mythico-rituel de la manière suivante : « 1º Un Être surnaturel tue les hommes (afin de les initier) ; 2º ne comprenant pas le sens de cette mort initiatique, les hommes se vengent en le mettant à mort ; mais ils fondent ensuite des cérémonies secrètes en relation avec le drame primordial ; 3º l'Être Surnaturel est rendu présent dans ces cérémonies par une image ou un objet sacré, censés représenter son corps ou sa voix [2]. »

HAINUWELE ET LES DEMA

Les mythes de cette catégorie sont caractérisés par le fait que le meurtre primordial d'un Être surnaturel a donné lieu à des rituels initiatiques, grâce auxquels les hommes parviennent à une existence supérieure. Il est également remarquable que ce meurtre n'est pas considéré comme un crime ; autrement, il n'aurait

1. Cf. *Naissances mystiques*, p. 60.
2. *Naissances mystiques*, p. 106, n. 26.

pas été réactualisé périodiquement dans les rituels. Ceci ressort encore plus clairement de l'étude du complexe mythico-rituel spécifique des paléo-cultivateurs. Ad. E. Jensen a montré que la vie religieuse des cultivateurs de tubercules de la zone tropicale se concentre autour des divinités qu'il appelle divinité de type *dema*, en empruntant le terme *dema* aux Marind-anim de la Nouvelle-Guinée. Les Marind-anim désignent sous ce terme les créateurs divins et les Êtres primordiaux qui existaient dans les Temps mythiques. Les *dema* sont décrits tantôt sous la forme humaine, tantôt sous celle d'animaux et de plantes. Le mythe central raconte la mise à mort de la divinité-*dema* par les *dema*[1]. Célèbre entre tous est le mythe de la jeune fille Hainuwele, enregistré par Jensen à Ceram, une des îles de la Nouvelle-Guinée. En voici la substance :

Dans les temps mythiques, un homme, Ameta, rencontra un porc sauvage pendant qu'il était à la chasse. En essayant de s'échapper, le porc se noya dans un lac. Sur sa défense, Ameta trouva une noix de coco. Cette nuit-là il rêva de la noix et il reçut l'ordre de la planter, ce qu'il fit le lendemain. En trois jours, un cocotier poussa et après trois autres jours il fleurit. Ameta grimpa afin de couper des fleurs et se préparer une boisson. Mais il se coupa le doigt, et le sang tomba sur la fleur. Après neuf jours il découvrit qu'il y avait un enfant, une fille, sur la fleur. Ameta la prit et l'enveloppa dans des feuilles de cocotier. En trois jours la fillette devint une jeune fille à marier, et il l'appela Hainuwele

1. Ad. E. Jensen, *Mythes et cultes chez les peuples primitifs* (trad. de M. Metzger et J. Goffinet, Paris, 1954), p. 108.

(« branche de cocotier »). Durant le grand festival Maro, Hainuwele s'installa au centre de la place de la danse et, pendant neuf nuits, distribua des dons aux danseurs. Mais le neuvième jour les hommes creusèrent une fosse au milieu de la place et pendant la danse ils y jetèrent Hainuwele. On couvrit la fosse et les hommes dansèrent au-dessus.

Le lendemain, voyant que Hainuwele ne revenait pas à la maison, Ameta devina qu'elle avait été assassinée. Il découvrit le corps, le déterra et le coupa en morceaux qu'il enterra en divers lieux, à l'exception de ses bras. Les morceaux ainsi enterrés donnèrent naissance à des plantes inconnues jusqu'alors, surtout à des tubercules, qui depuis lors constituent la principale nourriture des humains. Ameta porta les bras de Hainuwele à une autre divinité *dema*, Satene. Sur un terrain de danse, Satene désigna une spirale à neuf vrilles et se posta au milieu. Avec les bras de Hainuwele elle construisit une porte et rassembla les danseurs. « Puisque vous avez tué, leur dit-elle, je ne veux plus vivre ici. Je partirai aujourd'hui même. Maintenant, il vous faut venir vers moi à travers cette porte. » Ceux qui réussirent à passer restèrent des êtres humains. Les autres furent changés en animaux (porcs, oiseaux, poissons) ou en esprits. Satene annonça qu'après son départ les hommes la rencontreraient seulement après leur mort, et elle disparut de la surface de la Terre [1].

1. Ad. E. Jensen, *Das religiöse Weltbild einer frühen Kultur* (Stuttgart, 1948), pp. 35-38 ; cf. aussi Joseph Campbell, *The Masks of God : Primitive Mythology* (New York, 1959), pp. 173-176. Sur la diffusion de ce motif mythique, cf. Gudmund Hatt,

Ad. E. Jensen a montré l'importance de ce mythe pour la compréhension de la religion et de l'image du monde des paléo-cultivateurs. Le meurtre d'une divinité-*dema* par les *dema*, Ancêtres de l'humanité actuelle, met fin à une époque (qu'on ne peut pas considérer « paradisiaque ») et inaugure l'époque dans laquelle nous vivons aujourd'hui. Les *dema* devinrent des hommes, c'est-à-dire des êtres sexués et mortels. Quant à la divinité-*dema* assassinée, elle subsiste aussi bien dans ses propres « créations » (plantes alimentaires, animaux, etc.) que dans la maison des morts dans laquelle elle se transforme, ou dans le « mode d'être de la mort », mode qu'elle a fondé par son propre trépas. On pourrait dire que la divinité *dema* « camoufle » son existence dans les différentes modalités d'exister qu'elle a inaugurées par sa mort violente : le royaume souterrain des morts, les plantes et les animaux issus de son corps déchiqueté, la sexualité, le nouveau mode d'exister sur la Terre (c'est-à-dire d'être mortel). La mort violente de la divinité *dema* n'est pas seulement une mort « créatrice », elle est également un moyen d'être continuellement présente dans la vie des humains, et même dans leur mort. Car, en se nourrissant des plantes et des animaux issus de son propre corps, on se nourrit, en réalité, de la substance même de la divinité *dema*. Hainuwele, par exemple, survit dans la

« The Corn Mother in America and Indonesia » (*Anthropos*, XLVI, 1951, pp. 853-914). Les objections de Hermann Baumann (cf. *Das doppelte Geschlecht*, Berlin, 1955) ont été discutées par Ad. E. Jensen dans son article « Der Anfang des Bodenbaus in mythologischer Sicht » (*Paideuma*, VI, 1956, pp. 169-180). Voir aussi Carl A. Schmidz, « Die Problematik der Mythologeme « Hainuwele » und « Prometheus » (*Anthropos*, LV, 1960, pp. 215-238).

noix de coco, dans les tubercules et dans les porcs que les hommes mangent. Mais, comme l'a bien montré Jensen [1], l'abattage du porc est une « représentation » du meurtre de Hainuwele. Et sa répétition n'a d'autre sens que de rappeler l'acte divin exemplaire qui a donné naissance à tout ce qui existe aujourd'hui sur terre.

Pour les paléo-cultivateurs, donc l'« essentiel » est concentré dans ce meurtre primordial. Et puisque la vie religieuse consiste à proprement parler dans la remémoration de cet acte, le péché le plus grave est l'« oubli » d'un épisode quelconque du drame divin primordial. Les différents moments de la vie religieuse rappellent continuellement l'événement qui a eu lieu *in illo tempore* et, ce faisant, aident les hommes à garder la conscience de l'origine divine du Monde actuel. Comme l'écrit Jensen [2], les *cérémonies de puberté* rappellent le fait que la capacité de procréer, pour les hommes, dérive du premier meurtre mythique et mettent également en lumière le fait que la mortalité est inséparable de la procréation. Les *cérémonies funéraires*, qui se rapportent au voyage du trépassé au royaume des morts, rappellent que le voyage n'est qu'une répétition du premier, effectué par la divinité-*dema*. Mais c'est surtout la réitération de la mise à mort de la divinité-*dema* qui constitue l'élément essentiel. *Sacrifices humains* ou *sacrifices d'animaux* ne sont que la remémoration solennelle du meurtre primordial. Et le *cannibalisme* s'explique par la même idée qui est sous-entendue dans la consommation des tubercules, notamment que, d'une manière

1. Cf. *Mythes et cultes chez les peuples primitifs*, pp. 189 sq.
2. *Ibid.*

ou d'une autre, on mange toujours la divinité.

Les cérémonies religieuses sont, par conséquent, des fêtes de souvenir. « Savoir » veut dire apprendre le mythe central (le meurtre de la divinité et ses conséquences) et s'efforcer de ne plus oublier. Le véritable sacrilège est l'*oubli* de l'acte divin. La « faute », le « péché », le « sacrilège », c'est de « ne pas s'être souvenu » que la forme actuelle de l'existence humaine est le résultat d'une action divine. Par exemple, chez les Wemale la Lune est une divinité-*dema* ; elle est censée avoir sa menstruation à l'époque de la nouvelle lune et reste invisible pendant trois nuits. C'est la raison pour laquelle les femmes en cours de règles sont isolées dans des huttes spéciales. Toute infraction de cette interdiction entraîne une cérémonie expiatoire. La femme apporte un animal à la maison culturelle où se tiennent les hommes influents, se reconnaît coupable et s'en va. Les hommes sacrifient l'animal, le rôtissent et le mangent. Ce rite de mise à mort est une commémoration du premier sacrifice sanglant, c'est-à-dire du meurtre primordial. « On expie logiquement le sacrilège de *ne pas s'être rappelé* en se *rappelant avec une intensité particulière*. Et, de par son sens originel, le sacrifice sanglant est un « rappel » de ce genre particulièrement intense [1] ».

NON PLUS « ONTOLOGIE », MAIS « HISTOIRE ».

Quant à la structure, tous ces mythes sont des mythes d'origine. Ils nous révèlent l'origine

1. *Op. cit.*, p. 225.

de la condition actuelle de l'homme, des plantes nourricières et des animaux, de la mort, des institutions religieuses (initiations de puberté, sociétés secrètes, sacrifices sanglants, etc.) et des règles de conduite et comportements humains. Pour toutes ces religions l'« essentiel » n'a pas été décidé à la Création du Monde, mais après, à un certain moment de l'époque mythique. Il s'agit toujours d'un Temps mythique, mais ce n'est plus le « premier », celui qu'on peut appeler le Temps « cosmogonique ». L'« essentiel » n'est plus solidaire d'une *ontologie* (comment le Monde — le *réel* — est venu à l'être), mais d'une *Histoire*. Histoire divine et humaine à la fois, parce qu'elle est le résultat d'un drame joué par les Ancêtres des hommes et par des Êtres Surnaturels d'un autre type que les Dieux créateurs, tout-puissants et immortels. Ces Êtres divins sont susceptibles de changer de modalité ; en effet, ils « meurent » et se transforment en quelque chose d'autre, mais cette « mort » n'est pas un anéantissement, ils ne périssent pas définitivement, mais survivent dans leurs créations. Mieux : leur mort par la main des Ancêtres mythiques n'a pas modifié seulement leur mode d'exister, mais aussi celui des humains. Depuis le meurtre primordial, une relation indissoluble s'est créée entre les Êtres divins de type *dema* et les hommes. Il existe maintenant entre eux une sorte de « communion » : l'homme se nourrit du Dieu et, en trépassant, le rejoint dans le royaume des morts.

Ce sont les premiers mythes pathétiques et tragiques. Dans les cultures postérieures — celle qu'on appelle la « culture des maîtres » et, plus tard, les cultures urbaines du Proche-Orient antique — d'autres mythologies pathétiques et violentes vont se développer. Il n'entre pas dans le propos de ce petit livre de les examiner toutes. Rappelons néanmoins que l'Être Suprême céleste et créateur ne recouvre son activité religieuse que dans certaines cultures pastorales (surtout chez les Turco-Mongols) et dans le monothéisme de Moïse, dans la réforme de Zarathoustra et dans l'Islam. Alors même que l'on se rappelle encore son nom — Anu des Mésopotamiens, El des Cananéens, Dyaus des Indiens védiques, Ouranos des Grecs — l'Être Suprême ne joue plus un rôle important dans la vie religieuse et il est médiocrement représenté dans la mythologie (il en est parfois complètement absent ; p. ex. Dyaus). La « passivité » et l'otiosité d'Ouranos est plastiquement exprimée par sa castration : il est devenu « impuissant » et incapable d'intervenir dans le Monde. Dans l'Inde védique, Varuna a pris la place de Dyaus, mais lui aussi cède le pas à un dieu jeune et guerrier, Indra, en attendant de s'effacer complètement devant Vishnu et Shiva. El abandonne la primauté à Ba'al, comme Anu à Marduk. A l'exception de Marduk, tous ces Dieux suprêmes ne sont plus « créateurs » dans le sens fort du terme. Ils n'ont pas créé le Monde, ils l'ont seulement organisé et ils ont assumé la responsabilité d'y maintenir l'ordre et la fertilité. Avant tout, ils sont des Fécondateurs, tel Zeus ou Ba'al qui, par leurs hiérogamies avec des déesses de la Terre, assurent la fertilité des champs et l'opulence des récoltes [1].

1. Cf. *Traité d'Histoire des Religions*, pp. 68-90.

Marduk lui-même n'est que le créateur de *ce monde-ci*, de l'Univers tel qu'il existe aujourd'hui. Un autre « Monde » — presque impensable pour nous, puisque de nature fluide, un Océan et non pas un Cosmos — existait avant celui-ci : c'était le Monde dominé par Tiamat et son époux, où habitaient trois générations de Dieux.

Ces brèves indications suffisent. Ce qu'il importe de souligner, c'est que les grandes mythologies du polythéisme euro-asiatique, qui correspondent aux premières civilisations historiques, s'intéressent de plus en plus à ce qui s'est passé *après* la Création de la Terre, et même après la création (ou l'apparition) de l'homme. L'accent porte maintenant sur ce qui *est arrivé* aux Dieux et non plus sur ce qu'ils ont *créé*. Certes, il y a toujours un aspect « créateur » plus ou moins évident dans toute aventure divine — mais ce qui apparaît de plus en plus important, ce n'est plus le résultat de cette aventure, mais la séquence des événements dramatiques qui la constitue. Les innombrables aventures de Ba'al, de Zeus, d'Indra, ou celles de leurs collègues dans les panthéons respectifs, représentent les thèmes mythologiques les plus « populaires ».

Mentionnons aussi les mythes pathétiques des Dieux jeunes qui meurent assassinés ou par accident (Osiris, Tammuz, Attis, Adonis, etc.) et parfois ressuscitent, ou d'une Déesse qui descend aux Enfers (Ishtar), ou d'une Fille divine qui est forcée d'y descendre (Perséphone). Ces « morts », comme celle de Hainuwele, sont « créatrices » dans le sens qu'elles se trouvent dans une certaine relation avec la végétation. Autour d'une de ces morts vio-

lentes, ou de la descente d'une divinité aux
Enfers, vont se constituer plus tard les religions
à Mystères. Mais ces morts, bien que pathétiques, n'ont pas incité des mythologies riches
et variées. Comme Hainuwele, ces Dieux qui
meurent et (parfois) ressuscitent ont épuisé
leur destin dramatique dans cet épisode central.
Et, comme Hainuwele, leur mort est significative pour la condition humaine : des cérémonies en relation avec la végétation (Osiris,
Tammuz, Perséphone, etc.) ou des institutions
initiatiques (Mystères) sont venues à l'existence
à la suite de cet événement tragique.

Les grandes mythologies — celles consacrées
par des poètes comme Homère et Hésiode, et
des bardes anonymes du Mahâbhârata, ou
élaborées par les ritualistes et les théologiens
(comme en Égypte, dans l'Inde et en Mésopotamie) — sont de plus en plus sollicitées par
la narration des *gesta* des Dieux. Et à un
certain moment de l'Histoire, surtout en Grèce
et dans l'Inde, mais aussi en Égypte — une
élite commence à se désintéresser de cette
histoire divine et en vient (comme en Grèce) à
ne plus croire aux mythes, tout en prétendant
croire encore aux *dieux*.

LES DÉBUTS DE LA « DÉMYTHISATION »

C'est le premier exemple connu, dans l'histoire des religions, d'un processus conscient
et caractérisé de « démythisation ». Certes,
même dans les cultures archaïques, il arrivait
qu'un mythe fût vidé de signification religieuse et devînt légende ou conte d'enfants,

mais d'autres mythes demeuraient en vigueur. En tout cas, il n'était pas question, comme dans le Grèce des présocratiques et dans l'Inde des Upanishads, d'un phénomène culturel de premier ordre et dont les conséquences se sont avérées incalculables. En effet, après ce processus de « démythisation », les mythologies grecque et brahmanique ne pouvaient plus représenter pour les élites respectives ce qu'elles avaient représenté pour leurs aïeux.

Pour ces élites, l' « essentiel » n'était plus à chercher dans l'histoire des Dieux, mais dans une « situation primordiale » qui précédait cette histoire. Nous assistons à un effort pour aller au-delà de la mythologie en tant qu'histoire divine et pour accéder à la source première d'où avait jailli le réel, pour identifier la matrice de l'Être. C'est en cherchant la source, le principe, l'*archè*, que la spéculation philosophique a retrouvé, pour un bref intervalle, la cosmogonie ; ce n'était plus le mythe cosmogonique, mais un problème ontologique.

On accède donc à l' « essentiel » par un retour prodigieux en arrière : non plus un *regressus* obtenu par des moyens rituels, mais un « retour en arrière » opéré par un effort de pensée. Dans ce sens on pourrait dire que les premières spéculations philosophiques dérivent des mythologies : la pensée systématique s'efforce d'identifier et de comprendre le « commencement absolu » dont parlent les cosmogonies, de dévoiler le mystère de la Création du Monde, en somme, le mystère de l'apparition de l'Être.

Mais on verra que la « démythisation » de la religion grecque et le triomphe, avec Socrate

139

et Platon, de la philosophie rigoureuse et systématique n'ont pas aboli définitivement la pensée mythique. D'ailleurs, il est difficile de concevoir le dépassement radical de la pensée mythique aussi longtemps que le prestige des « origines » reste intact et que l'*oubli* de ce qui s'est passé *in illo tempore* — ou dans un monde transcendantal — est considéré comme le principal obstacle à la connaissance ou au salut. Nous verrons combien Platon est encore solidaire de ce mode de pensée archaïque. Et dans la cosmologie d'Aristote survivent encore de vénérables thèmes mythologiques.

Très probablement, le génie grec aurait été impuissant à exorciser, par ses propres moyens, la pensée mythique, même si le dernier dieu avait été détrôné et ses mythes dégradés au niveau de contes d'enfants. Car, d'une part, le génie philosophique grec acceptait l'essentiel de la pensée mythique, l'éternel retour des choses, la vision cyclique de la vie cosmique et humaine, et, d'autre part, l'esprit grec n'estimait pas que l'Histoire pût devenir objet de connaissance. La physique et la métaphysique grecques développent quelques thèmes constitutifs de la pensée mythique : l'importance de l'origine, de l'*archè* ; l'essentiel qui précède l'existence humaine ; le rôle décisif de la mémoire, etc. Ceci ne veut pas dire, évidemment, qu'il n'existe pas de solution de continuité entre le mythe grec et la philosophie. Mais on conçoit très bien que la pensée philosophique pouvait utiliser et prolonger la vision mythique de la réalité cosmique et de l'existence humaine.

Ce n'est que par la découverte de l'Histoire,

plus exactement par l'éveil de la conscience historique dans le judéo-christianisme et son épanouissement chez Hegel et ses successeurs, ce n'est que par l'assimilation radicale de ce nouveau mode d'être dans le Monde que représente l'existence humaine, que le mythe a pu être dépassé. Mais on hésite à affirmer que la pensée mythique a été abolie. Comme nous le verrons bientôt, elle a réussi à survivre, bien que radicalement changée (sinon parfaitement camouflée). Et le plus piquant est qu'elle survit surtout dans l'historiographie.

CHAPITRE VII

Mythologie de la Mémoire et de l'Oubli.

LORSQU'UN YOGI S'ÉPREND D'UNE REINE...

Matsyendranâth et Gorakhnâth comptent
parmi les Maîtres yogîs les plus populaires du
moyen âge indien. Leurs prouesses magiques
ont donné naissance à une très riche littérature
épique. Un des épisodes centraux de ce folklore
mythologique est constitué par l'amnésie de
Matsyendranâth. Selon une de ses versions
les plus connues, ce maître yogî, alors qu'il se
trouvait à Ceylan, s'éprit de la Reine et s'installa dans son palais, oubliant complètement
son identité. Selon une variante népalaise,
Matsyendranâth succomba à la tentation dans
les conditions suivantes : son corps restant sous
la garde de son disciple, son esprit pénétra dans
le cadavre d'un roi qui venait juste de mourir
et le ranima. C'est le miracle yogique bien
connu du « passage dans le corps d'un autre » ;
les saints y ont parfois recours pour connaître
la volupté sans se souiller. Enfin, selon le
poème *Gorakshavijaya*, Matsyendranâth tomba
prisonnier des femmes dans le pays de Kadalî.

En apprenant la captivité de Matsyendranâth, Gorakhnâth comprend que son maître est voué à la mort. Il descend alors dans le royaume de Yama, examine le livre des sorts, trouve le feuillet relatif à la destinée de son *guru*, le retouche et efface son nom de la liste des morts. « Il se présente ensuite devant Matsyendranâth, à Kadalî, sous la forme d'une danseuse, et se met à danser tout en chantant des chansons énigmatiques. Peu à peu Matsyendranâth se rappelle sa véritable identité : il comprend que la « voie charnelle » conduit à la mort, que son « oubli » était au fond l'oubli de sa nature vraie et immortelle, et que les « charmes de Kadalî » représentent les mirages de la vie profane »[1]. Gorakhnâth le presse de réintégrer la voie du yoga et de rendre son corps « parfait ». Il lui explique que c'est Durgâ qui a provoqué l' « oubli » qui faillit lui coûter l'immortalité. Ce sortilège, ajoute Gorakhnâth, symbolise l'éternelle malédiction de l'ignorance jetée par la « Nature » (i. e. Durgâ) sur l'être humain[2].

Ce thème mythique se ramène aux éléments suivants : 1º un Maître spirituel tombe amoureux d'une Reine ou est fait prisonnier par les femmes ; 2º dans les deux cas, un amour physique entraîne immédiatement l'amnésie du Maître ; 3º son disciple le retrouve et, au moyen de divers symboles (danses, signes secrets, langage énigmatique), l'aide à recouvrer la mémoire, i. e. la conscience de son identité ; 4º l' « oubli » du Maître est assimilé à la mort et, inversement, le « réveil », l'*anámnésis*, appa-

1. M. Eliade, *Le Yoga. Immortalité et Liberté* (Paris, 1954), p. 311.
2. *Le Yoga*, p. 321.

raît comme une condition à l'immortalité.

Le motif central — l'amnésie-captivité provoquée par une immersion dans la Vie, et l'*anâmnésis* opérée par des signes et des paroles énigmatiques d'un disciple — rappelle dans une certaine mesure le célèbre mythe gnostique du « Sauveur sauvé », tel que le présente l'*Hymne de la Perle*. Comme nous le verrons plus loin, il existe d'autres analogies entre certains aspects de la pensée indienne et le gnosticisme. Mais il n'est pas nécessaire de supposer, dans le cas présent, une influence gnostique. La captivité et l'oubli de Matsyendranâth constituent un motif pan-indien. Les deux mésaventures expriment plastiquement la chute de l'esprit (le Soi ; *âtman*, *purusha*) dans le circuit des existences et, par conséquent, la perte de la conscience du Soi. La littérature indienne utilise indifféremment les images de liage, d'enchaînement, de captivité, ou d'oubli, de nescience, de sommeil, pour signifier la condition humaine ; et, au contraire, des images de délivrance des liens et de déchirement du voile (ou de l'enlèvement d'un bandeau qui couvrait les yeux), ou de mémoire, remémoration, réveil, éveil, etc., pour exprimer l'abolition (ou la transcendance) de la condition humaine, la liberté, la délivrance (*moksa*, *mukti*, *nirvâna*, etc.).

SYMBOLISME INDIEN DE L'OUBLI ET DE LA REMÉMORATION

Le *Dîghanikaya* (I, 19-22) affirme que les Dieux tombent du Ciel lorsque la « mémoire leur fait défaut et que leur mémoire s'embrouille » ; au contraire, ceux des Dieux qui n'oublient pas sont immuables, éternels, d'une nature qui ne connaît pas le changement. L' « oubli » équivaut au « sommeil », mais aussi à la perte de soi-même, c'est-à-dire à la désorientation, à l' « aveuglement » (le bandeau sur les yeux). La *Chandogya-Upanishad* (VI, 14, 1-2) parle d'un homme emmené par des bandits loin de sa ville, les yeux bandés, et abandonné dans un lieu solitaire. L'homme se met à crier : « J'ai été conduit ici, les yeux bandés ; j'ai été abandonné ici, les yeux bandés ! » Quelqu'un lui enlève alors le bandeau et lui indique la direction de sa ville. En demandant la route d'un village à l'autre, l'homme réussit à regagner sa maison. De même, ajoute le texte, celui qui a un Maître compétent réussit à se délivrer des bandeaux de l'ignorance et atteint finalement la perfection.

Çankara a commenté ce passage de la *Chandogya-Upanishad* en quelques pages célèbres. C'est ainsi que les choses se passent, explique Çankara, avec l'homme enlevé par les voleurs loin de l'Être (loin de l'*âtman-Brahman*) et pris dans le piège de ce corps. Les voleurs sont les idées fausses de « mérite, démérite » et autres. Ses yeux sont bandés avec le bandeau de l'illusion, et l'homme est entravé par le désir qu'il éprouve pour sa femme, son fils, son ami, ses troupeaux, etc. « Je suis le fils d'un tel, je suis heureux, ou malheureux, je suis intelligent ou stupide, je suis pieux, etc. Comment dois-je vivre ? où existe-t-il une voie d'évasion ? où est mon salut ? » C'est ainsi qu'il raisonne, pris dans un filet monstrueux, jusqu'au moment où il rencontre celui qui est conscient du vrai Être (*Brahman-âtman*), qui est délivré de l'esclavage, heureux et, en outre, plein de sympathie pour les autres. Il apprend de lui la voie de la connaissance et la vanité du monde. De cette manière, l'homme, qui était prisonnier de ses propres illusions, est libéré de sa dépendance des choses mondaines. Il reconnaît alors son vrai être, il comprend qu'il n'est pas le vagabond désorienté qu'il croyait être. Au contraire, il comprend que ce que l'Être est, c'est *cela* qu'il est aussi. Ainsi, ses yeux sont délivrés du bandeau de l'illusion créée par l'ignorance (*avidyâ*), et il est comme l'homme de Gandhâra retournant à sa maison, c'est-à-dire retrouvant l'*âtman*, plein de joie et de sérénité [1].

On reconnaît les clichés au moyen desquels la spéculation indienne essaie de rendre compréhensible la situation paradoxale du Soi : embrouillé dans les illusions créées et nourries par son existence temporelle, le Soi (*âtman*) pâtit des conséquences de cette « ignorance » jusqu'au jour où il découvre qu'il n'était qu'*apparemment* engagé dans le Monde. Le Sâmkhya et le Yoga présentent une interprétation semblable : le Soi (*purusha*) n'est qu'apparemment asservi, et la délivrance (*mukti*) n'est qu'*une prise de conscience* de sa liberté éternelle. « Je crois souffrir, je crois être asservi, je désire la délivrance. Au moment où je comprends — m'étant « réveillé » — que ce « moi » est un produit de la Matière (*prakrti*), je comprends du même coup que toute l'existence n'a

1. Çankara, commentaire à la *Chandogya Upanishad*, VI, 14, 2.

été qu'une chaîne de moments douloureux et que le véritable esprit « contemplait impassiblement » le drame de la « personnalité »[1].

Il importe de souligner que, pour le Sâmkhya-Yoga aussi bien que pour le Vedânta, la délivrance peut être comparée à un « réveil » ou à la prise de conscience d'une situation qui existait dès le début, mais qu'on n'arrivait pas à *réaliser*. A certains égards on peut rapprocher l'« ignorance » — qui est, en dernière instance, une *ignorance de soi-même* — d'un « oubli » du véritable Soi (*âtman, purusha*). La « sagesse » (*jñâna, vidyâ*, etc.) qui, en déchirant le voile de la *mâyâ* ou en supprimant l'ignorance, rend possible la délivrance, est un « réveil ». L'éveillé par excellence, le Bouddha, possède l'omniscience absolue. Nous l'avons vu dans un chapitre précédent : comme d'autres sages et yogîs, Bouddha se rappelait ses existences antérieures. Mais, précisent les textes bouddhiques, tandis que les sages et les yogîs parviennent à connaître un certain nombre, parfois considérable, d'existences, le Bouddha a été le seul à les connaître *toutes*. C'est une manière de dire que seul le Bouddha était omniscient.

« OUBLI » ET « MÉMOIRE » EN GRÈCE ANTIQUE

« Le souvenir est pour ceux qui ont oublié », écrivait Plotin (*Ennéades*, 4, 6, 7,). La doctrine est platonicienne. « Pour ceux qui ont oublié, la remémoration est une vertu ; mais les parfaits ne perdent jamais la vision de la vérité et

1. M. Eliade, *Le Yoga*, p. 44.

ils n'ont pas besoin de se la remémorer » (*Phédon*, 249 *c*, *d*,). Il y a donc une différence entre mémoire (*mnémè*) et souvenir (*anámnèsis*). Les dieux dont parlait Bouddha dans le *Dîgha-nykâya*, et qui tombèrent des cieux lorsque leur mémoire se troubla, se réincarnèrent hommes. Certains d'entre eux pratiquèrent l'ascèse et la méditation et, grâce à leur discipline yogique, réussirent à se rappeler leurs existences antérieures. Une mémoire parfaite est donc supérieure à la faculté de se remémorer. D'une manière ou d'une autre, le souvenir implique un « oubli », et celui-ci, nous venons de le voir, équivaut, dans l'Inde, à l'ignorance, à l'esclavage (= captivité) et à la mort.

On rencontre une situation semblable en Grèce. Nous n'avons pas à présenter ici tous les faits ayant trait à l'« oubli » et à l'*anámnèsis* dans les croyances et les spéculations grecques. Nous nous proposons de suivre les différentes modifications de la « mythologie de la mémoire et de l'oubli », dont nous avons vu, au chapitre précédent, le rôle capital dans les sociétés de proto-agriculteurs. Dans l'Inde comme en Grèce, des croyances plus ou moins analogues à celles des proto-agriculteurs ont été analysées, réinterprétées et revalorisées par les poètes, les contemplatifs et les premiers philosophes. C'est dire que, dans l'Inde et en Grèce, nous n'avons plus affaire uniquement à des comportements religieux et à des expressions mythologiques, mais surtout à des rudiments de psychologie et de métaphysique. Pourtant, il y a continuité entre les croyances « populaires » et les spéculations « philosophiques ». C'est surtout cette continuité qui nous intéresse.

La déesse Mnémosyne, personnification de la « Mémoire », sœur de Kronos et d'Okéanos, est la mère des Muses. Elle est omnisciente : selon Hésiode (*Théogonie*, 32, 38), elle sait « tout ce qui a été, tout ce qui est, tout ce qui sera ». Lorsque le poète est possédé des Muses, il s'abreuve directement à la science de Mnémosyne, c'est-à-dire surtout à la connaissance des « origines », des « commencements », des généalogies. « Les Muses chantent en effet, en commençant par le début — *éx árkhès* (*Théogonie*, 45, 115) — l'apparition du monde, la genèse des dieux, la naissance de l'humanité. Le passé ainsi dévoilé est plus que l'antécédent du présent : il en est la source. En remontant jusqu'à lui, la remémoration cherche, non à situer les événements dans un cadre temporel, mais à atteindre le fond de l'être, à découvrir l'originel, la réalité primordiale dont est issu le cosmos et qui permet de comprendre le devenir dans son ensemble [1]. »

Grâce à la mémoire primordiale qu'il est susceptible de récupérer, le poète inspiré par les Muses accède aux réalités originelles. Ces réalités se sont manifestées dans les temps mythiques du commencement et constituent le fondement de ce Monde-ci. Mais justement parce qu'elles ont apparu *ab origine*, ces réalités ne sont plus saisissables dans l'expérience courante. A juste titre, J.-P. Vernant compare l'inspiration du poète à l' « évocation » d'un

[1]. J.-P. Vernant, « Aspects mythiques de la mémoire en Grèce » (*Journal de Psychologie*, 1959, pp. 1-29), p. 7. Cf. aussi Ananda K. Coomaraswamy, « Recollection, Indian and Platonic » (*Supplement to the Journal of the American Oriental Society*, n° 3, avril-juin 1944).

mort du monde infernal ou à un *descensus ad inferos* entrepris par un vivant afin d'*apprendre ce qu'il veut connaître*. « Le privilège que Mnémosyne confère à l'aède est celui d'un contrat avec l'autre monde, la possibilité d'y entrer et d'en revenir librement. Le passé apparaît comme une dimension de l'au-delà [1]. »

C'est pourquoi, dans la mesure où il est « oublié », le « passé » — historique ou primordial — est homologué à la mort. La fontaine *Léthé*, « oubli », fait partie intégrante du domaine de la Mort. Les défunts sont ceux qui ont perdu la mémoire. Au contraire, certains privilégiés, tels Tirésias ou Amphiaraos, conservent leur mémoire après le trépas. Afin de rendre immortel son fils Éthalide, Hermès lui accorde « une mémoire inaltérable ». Comme l'écrit Apollonios de Rhodes, « même lorsqu'il traversa l'Achéron, l'oubli ne submergea pas son âme ; et quoiqu'il habite tantôt le séjour des ombres, tantôt celui de la lumière du soleil, il garde toujours le souvenir de ce qu'il a vu [2] ».

Mais la « mythologie de la Mémoire et de l'Oubli » se modifie, en s'enrichissant d'une signification eschatologique, lorsque se dessine une doctrine de la transmigration. Ce n'est plus le passé primordial qu'il importe de connaître, mais la série d'*existences antérieures personnelles*. La fonction de Léthé est renversée : ses eaux n'accueillent plus l'âme qui vient de quitter le corps, afin de lui faire oublier l'existence terrestre. Au contraire, Léthé efface le souvenir du monde céleste dans l'âme qui revient sur terre afin de se réincarner. L' « Ou-

1. J.-P. Vernant, *op. cit.*, p. 8.
2. *Argonautiques*, I, 463, cité par Vernant, *op. cit.*, p. 10.

bli » ne symbolise plus la mort, mais le retour
à la vie. L'âme qui a eu l'imprudence de boire
à la fontaine de Léthé (« gorgée d'oubli et de
méchanceté », comme la décrit Platon, *Phèdre*,
248 c), se réincarne et est projetée de nouveau
dans le cycle du devenir. Dans les lamelles d'or
portées par les initiés de la confrérie orphico-
pythagoricienne, on prescrit à l'âme de ne pas
s'approcher de la source Léthé sur la route de
gauche, mais de prendre, sur la droite, la route
où elle rencontrera la source issue du lac de
Mnémosyne. Il est conseillé à l'âme d'implorer
ainsi les gardiens de la source : « Donnez-moi
vite de l'eau fraîche qui s'écoule du lac de
Mémoire. » « Et d'eux-mêmes ils te donneront
à boire de la source sainte et, après cela, parmi
les autres héros tu seras le maître [1]. »

Pythagore, Empédocle, d'autres encore,
croyaient à la métempsycose et prétendaient
se rappeler leurs existences antérieures. « Vagabond exilé du divin séjour », se présentait
Empédocle, « je fus autrefois déjà un garçon
et une fille, un buisson et un oiseau, un muet
poisson dans la mer » (*Purifications*, fr. 117).
Il disait encore : « Je suis délivré à jamais de la
mort » (*Ibid.*, fr. 112). Parlant de Pythagore,
Empédocle le décrivait comme « un homme
d'une science extraordinaire », car « là où il
s'étendait avec toute la puissance de son esprit, il
voyait facilement ce qu'il avait été en dix,
vingt existences humaines » (*Ibid.*, fr. 129).
D'autre part, l'exercice et la culture de la mé-

1. Lamelles de Pétélie et d'Éleutherne. Sur les lamelles « orphi-
ques », cf. Jane Harrison, *Prolegomena to the Study of Greek Religion* (Cambridge, 1903), pp. 573 sq. ; F. Cumont, *Lux perpetua*
(Paris, 1949), pp. 248, 406 ; W. K. C. Guthrie, *Orpheus and the
Greek Religion* (Londres, 1935, 2e éd., 1952), pp. 171 sq.

moire jouaient un rôle important dans les confréries pythagoriciennes (Diodore, X, 5 ; Jamblique, *Vita Pyth.* 78 sq.). Cet entraînement rappelle la technique yogique de « retour en arrière » que nous avons étudiée au chapitre V. Ajoutons que les chamans prétendent se rappeler leurs existences antérieures [1], ce qui indique l'archaïsme de la pratique.

MÉMOIRE « PRIMORDIALE » ET MÉMOIRE « HISTORIQUE »

Il y a donc, en Grèce, deux valorisations de la mémoire : 1º celle qui se réfère aux événements primordiaux (cosmogonie, théogonie, généalogie) et 2º la mémoire des existences antérieures, c'est-à-dire des événements historiques et personnels. Léthé, « Oubli », s'oppose avec une égale efficacité à ces deux espèces de mémoire. Mais Léthé est impuissant à l'égard de quelques privilégiés : 1º ceux qui, inspirés par les Muses, ou grâce à un « prophétisme à rebours », réussissent à recouvrer la mémoire des événements primordiaux ; 2º ceux qui, tels Pythagore ou Empédocle, parviennent à se rappeler leurs existences antérieures. Ces deux catégories de privilégiés vainquent l' « Oubli », et donc en quelque façon la mort. Les uns accèdent à la connaissance des « origines » (origine du Cosmos, des dieux, des peuples, des dynasties). Les autres se souviennent de leur « histoire »,

1. Cf. M. Eliade, *Mythes, rêves et mystères*, p. 21. Sur les existences antérieures de Pythagore, cf. les textes groupés par E. Rohde, *Psyche* (traduit par W. B. Hillis, New York, 1925). pp. 598 sq.

c'est-à-dire de leurs transmigrations. Pour les premiers, l'important est ce qui s'est passé *ab origine*. Ce sont des événements primordiaux, dans lesquels ils n'ont pas été impliqués personnellement. Mais ces événements — la cosmogonie, la théogonie, la généalogie — les ont en quelque sorte constitués : ils sont ce qu'ils sont parce que ces événements ont eu lieu. Il est superflu de montrer combien cette attitude rappelle celle de l'homme des sociétés archaïques, qui se reconnaît constitué par une série d'événements primordiaux dûment relatés dans les mythes.

Par contre, ceux qui réussissent à se rappeler leurs existences antérieures se préoccupent en premier lieu de découvrir leur propre « histoire », dispersée à travers leurs innombrables incarnations. Ils s'efforcent d'unifier ces fragments isolés, de les intégrer dans une seule trame, afin de se révéler le sens de leur destinée. Car l'unification, par l'*anámnèsis*, des fragments d'histoire sans aucune relation entre eux revenait également à « joindre le commencement à la fin » ; autrement dit, il importait de découvrir comment la première existence terrestre avait déclenché le processus de la transmigration. Une telle préoccupation et une telle discipline rappellent les techniques indiennes de « retour en arrière » et de remémoration des existences antérieures.

Platon connaît et utilise ces deux traditions concernant l'oubli et la mémoire. Mais il les transforme et les réinterprète, afin de les articuler dans son système philosophique. Pour Platon, apprendre revient, en fin de compte, à se remémorer (cf. surtout *Ménon*, 81 *c*, *d*).

Entre deux existences terrestres, l'âme contemple les Idées : elle partage la connaissance pure et parfaite. Mais, en se réincarnant, l'âme s'abreuve à la source Léthé et oublie la connaissance obtenue par la contemplation directe des Idées. Pourtant, cette connaissance est latente dans l'homme incarné et, grâce au travail philosophique, elle est susceptible d'être actualisée. Les objets physiques aident l'âme à se replier sur elle-même et, par une sorte de « retour en arrière », à retrouver et récupérer la connaissance originelle qu'elle possédait dans la connaissance originelle qu'elle possédait dans sa condition extra-terrestre. La mort est, par conséquent, le retour à un état primordial et parfait, perdu périodiquement par la réincarnation de l'âme.

Nous avons eu l'occasion de rapprocher la philosophie de Platon de ce qu'on pourrait appeler l' « ontologie archaïque »[1]. Il importe maintenant de montrer en quel sens la théorie des Idées et l'*anámnèsis* platonicienne sont susceptibles d'être rapprochées du comportement de l'homme des sociétés archaïques et traditionnelles. Celui-ci trouve dans les mythes les modèles exemplaires de tous ses actes. Les mythes l'assurent que tout ce qu'il fait, ou entreprend de faire, *a déjà été fait* au début du Temps, *in illo tempore*. Les mythes constituent donc la somme du savoir utile. Une existence individuelle devient, et se maintient, une existence pleinement humaine, responsable et significative, dans la mesure où elle s'inspire de ce réservoir d'actes déjà accomplis et de

1. Cf. *Le Mythe de l'Éternel Retour*, pp. 63 sq.

pensées déjà formulées. Ignorer ou oublier le contenu de cette « mémoire collective » constituée par la tradition équivaut à une régression à l'état « naturel » (la condition aculturelle de l'enfant) ou à un « péché », ou à un désastre.

Pour Platon, vivre intelligemment, c'est-à-dire apprendre et comprendre le vrai, le beau et le bon, est avant tout se ressouvenir d'une existence désincarnée, purement spirituelle. L' « oubli » de cette condition pléromatique n'est pas nécessairement un « péché », mais une conséquence du processus de réincarnation. Il est remarquable que, pour Platon aussi, l' « oubli » ne fait pas partie intégrante du fait de la mort, mais, au contraire, est mis en rapport avec la vie, la réincarnation. C'est en retournant à la vie terrestre que l'âme « oublie » les Idées. Il ne s'agit par d'un oubli des existences antérieures — c'est-à-dire de la somme des expériences personnelles, de l' « histoire » — mais de l'oubli des vérités transpersonnelles et éternelles que sont les Idées. L'*anámnèsis* philosophique ne récupère pas le souvenir des *événements* faisant partie des existences précédentes, mais des *vérités*, des structures du réel. On peut rapprocher cette position philosophique de celle des sociétés traditionnelles : les mythes représentent des modèles paradigmatiques fondés par des Êtres Surnaturels, et non pas une série d'expériences personnelles de tel ou tel individu [1].

---

1. Cf. *Mythes, rêves et mystères*, pp. 56-57. Pour C. G. Jung aussi l' « inconscient collectif » précède la psyché individuelle. Le monde des archétypes de Jung ressemble en quelque sorte au

Dans la mythologie grecque, Sommeil et Mort, Hypnos et Thanatos, sont deux frères jumeaux. Rappelons que pour les Juifs aussi, au moins à partir des temps post-exiliques, la mort était comparable au sommeil. Sommeil dans le tombeau (Job, III, 13-15 ; III, 17), au Sheol (Ecclés., IX, 3 ; IX, 10) ou dans les deux endroits à la fois (Psaume LXXXVIII, 87). Les chrétiens ont accepté et élaboré l'homologie mort-sommeil : *in pace bene dormit, dormit in somno pacis, in pace somni, in pace Domini dormias*, figurent parmi les formules les plus populaires de l'épigraphie funéraire [1].

Dès lors que Hypnos est le frère de Thanatos, on comprend pourquoi, en Grèce comme dans l'Inde et dans le gnosticisme, l'action de « réveiller » avait une signification « sotériologique » (dans le sens large du terme). Socrate éveille ses interlocuteurs, parfois contre leur gré. « Comme tu es violent, Socrate ! » s'exclame Calliclès (*Gorgias*, 508 d). Mais Socrate est parfaitement conscient que sa mission de réveiller les gens est d'ordre divin. Il ne cesse de rappeler qu'il est « au service » de Dieu (*Apologie*, 23 c ; cf. aussi 30 e ; 31 a ; 33 c). « Mon pareil, Athéniens, vous ne le trouverez pas facilement, et si vous m'en croyez, vous me garderez. Mais peut-être, impatientés, *comme des gens ensom-*

---

monde des Idées platoniciennes : les archétypes sont transpersonnels et ne participent pas au Temps historique de l'individu, mais au Temps de l'espèce, voire de la Vie organique.

1. Cf. F. Cumont, *Lux perpetua*, p. 450.

meillés qu'on réveille, peut-être me frapperez-vous, écoutant Anytos, et me ferez-vous mourir étourdiment ; et ensuite vous *dormirez pendant toute votre vie*, à moins que Dieu ne vous en envoie un autre, par amour pour vous » (*Apol.*, 30 e).

Retenons cette idée que c'est Dieu qui, par amour pour les hommes, leur envoie un Maître afin de les « réveiller » de leur sommeil qui est à la fois ignorance, oubli et « mort ». On retrouve ce motif dans le gnosticisme, mais, bien entendu, considérablement élaboré et réinterprété. Le mythe gnostique central, tel que nous le présente l'*Hymne de la Perle* conservé dans les *Actes de Thomas*, s'articule autour du thème de l'amnésie et de l'*anámnèsis*. Un Prince arrive de l'Orient pour chercher en Égypte « la perle unique qui se trouve au milieu de la mer entourée par le serpent au sifflement sonore ». En Égypte, il est capturé par les hommes du pays. On lui donne à manger de leurs mets, et le Prince oublie son identité. « J'oubliai que j'étais fils de roi et je servis leur roi et j'oubliai la perle pour laquelle mes parents m'avaient envoyé, et par le poids de leur nourriture je tombai dans un profond sommeil. » Mais les parents surent ce qui lui était arrivé et lui écrivirent une lettre. « De ton père, le roi des rois, et de ta mère, souveraine de l'Orient, et de ton frère, notre second, à toi, notre fils, salut ! Réveille-toi et lève-toi de ton sommeil, et écoute les paroles de notre lettre. Rappelle-toi que tu es fils de roi. Vois dans quel esclavage tu es tombé. Souviens-toi de la perle pour laquelle tu as été envoyé en Égypte. » La lettre vola comme un aigle, descendit sur lui et devint parole. « A sa voix et à son bruissement, je m'éveillai et sortit de mon sommeil. Je la ramassai, l'embrassai, brisai son sceau, la lus et les paroles de la lettre concordaient avec ce qui était gravé dans mon cœur. Je me souvins que j'étais fils de parents royaux et ma naissance excellente affirmait sa nature. Je me souvins de la perle pour laquelle j'avais été envoyé en Égypte et je me mis à charmer le serpent aux sifflements sonores. Je l'endormis en le charmant, puis je prononçai sur lui le nom de mon père et j'emportai la perle et me mis en devoir de regagner la maison de mon père [1] ».

L'*Hymne de la Perle* a une suite (le « vêtement lumineux » que le Prince avait quitté avant son départ, et qu'il retrouve en rentrant) qui ne concerne pas directement notre propos. Ajoutons que les thèmes de l'exil, la captivité dans un pays étranger, le messager qui réveille le prisonnier et l'invite à se mettre en route, se retrouvent dans un opuscule de Sohrawardî, *Récit de l'exil occidental* [2]. Quoi qu'il en soit de l'origine du mythe, probablement iranienne, le mérite de l'*Hymne de la Perle* est qu'il présente sous une forme dramatique quelques-uns des motifs gnostiques les plus populaires. En analysant, dans un livre récent, les symboles

---

1. H. Leisegang, *La Gnose* (trad. Jean Gouillard, Paris, 1951), pp. 247-248 ; Robert M. Grant, *Gnosticism. A Source book of Heretical Writings from the Early Christian Period* (New York, 1961), pp. 116 sq. G. Widengren, « Der iranische Hintergrund der Gnosis » (*Zeitschrift für Religions- und Geistesgeschichte*, IV, 1952, pp. 97-114), pp. 111 sq., soutient l'origine iranienne, vraisemblablement parthe, de ce mythe.

2. Henry Corbin, « L'Homme de Lumière dans le Soufisme iranien » (dans le volume collectif *Ombre et Lumière*, Paris, 1961, pp. 137-257), pp. 154 sq., avec des références bibliographiques à ses travaux antérieurs.

et les images spécifiquement gnostiques, Hans Jonas a insisté sur l'importance des motifs de « chute, capture, abandon, mal du pays, engourdissement, sommeil, ivresse [1] ». On n'a pas à reprendre ici ce dossier considérable. Citons cependant quelques exemples particulièrement suggestifs.

En se tournant vers la Matière « et brûlant de désir de faire la connaissance du corps », l'âme oublie sa propre identité. « Elle oublia son séjour originel, son vrai centre, son être éternel. » C'est dans ses termes qu'El Châtîbî présente la croyance centrale des Harranites [2]. Selon les gnostiques, les hommes non seulement dorment, mais aiment dormir. « Pourquoi aimerez-vous toujours le sommeil et trébucherez-vous avec ceux qui trébuchent ? » interroge le *Gînza* [3]. « Que celui qui entend s'éveille du pesant sommeil », est-il écrit dans l'*Apocryphe de Jean* [4]. Le même motif se retrouve dans la cosmogonie manichéenne, telle que nous la conserve Théodore Bar-Chonaï : « Jésus le Lumineux descendit vers l'innocent Adam et le réveilla d'un sommeil de mort pour qu'il soit délivré [5]... » L'ignorance et le sommeil sont également exprimés en termes d' « ivresse ». L'*Évangile de Vérité* compare celui « qui possède la Gnose » avec « une personne qui, après s'être enivrée, redevient sobre et, revenue à elle, affirme

1. Hans Jonas, *The Gnostic Religion* (Boston, 1958), pp. 62 sq.
2. H. Jonas, *op. cit.*, p. 63.
3. Cité par Jonas, p. 70.
4. Jean Doresse, *Les Livres secrets des Gnostiques d'Égypte*, vol. I (Paris, 1958), p. 227.
5. F. Cumont, *Recherches sur le manichéisme : 1. La cosmogonie manichéenne d'après Théodore bar Khônai* (Bruxelles, 1908), pp. 46 sq. ; J. Doresse, I, pp. 235 sq.

de nouveau ce qu'est essentiellement sien[1] ».
Et le *Ginza* raconte comment Adam « s'éveilla
de son sommeil et leva les yeux vers le lieu de
la lumière[2] ».

A juste titre, Jonas observe que, d'une part,
l'existence terrestre est définie comme « abandon », « crainte », « mal du pays », et, d'autre
part, est décrite comme « sommeil », « ivresse »
et « oubli » : « c'est-à-dire, a revêtu (si nous
exceptons l'ivresse) tous les caractères qu'à
une époque plus ancienne on attribuait à la
condition des morts dans le monde souterrain[3] ». Le « messager » qui « réveille » l'homme de
son sommeil lui apporte à la fois la « Vie » et le
« salut ». Je suis la voix qui réveille du sommeil
dans l'Éon de la nuit », ainsi débute un fragment gnostique conservé par Hippolyte (*Réfut.*,
V, 14, 1). Le « réveil » implique l'*anámnèsis*, la
récognition de la vraie identité de l'âme,
c'est-à-dire la re-connaissance de son origine
céleste. C'est seulement après l'avoir réveillé
que le « messager » révèle à l'homme la promesse
de la rédemption et finalement lui enseigne
comme il doit se comporter dans le Monde[4].
« Secoue l'ivresse dans laquelle tu t'es endormi,
réveille-toi et contemple-moi! », est-il écrit dans
un texte manichéen de Turfan[5]. Et dans un
autre : « Réveille-toi, âme de splendeur, du
sommeil de l'ivresse dans lequel tu es tombé
(...), suis-moi à l'endroit exalté où tu séjournais
au commencement[6]. » Un texte mandéen

1. H. Jonas, *op. cit.*, p. 71.
2. *Ibid.*, p. 74.
3. *Ibid.*, p. 68.
4. *Ibid.*, p. 23.
5. *Ibid.*, p. 83.
6. *Ibid.*, p. 83.

raconte comment le Messager céleste a réveillé Adam, et continue en ces termes : « Je suis venu pour t'instruire, Adam, et te libérer de ce monde-ci. Prête l'oreille, écoute, et instruis-toi, et élève-toi vitorieux au lieu de la lumière [1]. » L'instruction comprend également l'injonction de ne plus se laisser vaincre par le sommeil. « Ne sommeille plus ni ne dors, n'oublie pas ce dont le Seigneur t'a chargé [2]. »

Certes, ces formules ne sont pas le monopole des gnostiques. L'Épître aux Éphésiens, V, 14 contient cette citation anonyme : « Éveille-toi, toi qui dors, lève-toi d'entre les morts, et sur toi luira le Christ. » Le motif du sommeil et du réveil se retrouve dans la littérature hermétique. On lit dans le *Poimandrès* : « O vous, nés de la terre, qui vous êtes abandonnés à l'ivresse et au sommeil et à l'ignorance de Dieu — revenez à la sobriété ! renoncez à votre ivresse, à l'enchantement de votre sommeil déraisonnable [3] ! »

Rappelons que la victoire remportée sur le sommeil et la veille prolongée constituent une épreuve initiatique assez typique. On les rencontre déjà aux stades archaïques de culture. Chez certaines tribus australiennes, les novices en voie d'être inftiés ne doivent pas dormir pendant trois jours, ou encore on leur interdit de se coucher avant l'aube [4]. Parti à la quête de l'immortalité, le héros mésopotamien Gilgamesh arrive dans l'île de l'Ancêtre mythique Ut-napishtin. Là, il doit veiller six jours

1. *Ibid.*, p. 84.
2. *Ibid.*, p. 84.
3. *Corpus Hermeticum*, I, 27 sq. ; H. Jonas, p. 86.
4. Cf. M. Eliade, *Naissances mystiques*, p. 44.

et six nuits, mais il ne réussit pas à passer cette épreuve initiatique et il manque sa chance d'acquérir l'immortalité. Dans un mythe nord-américain du type Orphée et Eurydice, un homme qui vient de perdre sa femme réussit à descendre dans l'Enfer et à la retrouver. Le Seigneur de l'Enfer lui promet qu'il pourra ramener sa femme sur la terre s'il est capable de veiller toute la nuit. Mais l'homme s'endort juste avant l'aube. Le Seigneur de l'Enfer lui donne une nouvelle chance, et, pour ne pas être fatigué la nuit suivante, l'homme dort la journée. Néanmoins il ne réussit pas à veiller jusqu'à l'aube, et il est obligé de retourner seul sur la Terre [1].

On voit donc que ne pas dormir, ce n'est pas seulement triompher de la fatigue physique, c'est surtout faire preuve de force spirituelle. Rester « éveillé », être pleinement conscient, être présent au monde de l'esprit. Jésus n'arrêtait pas d'enjoindre à ses disciples de veiller (cf. p. ex. Matt., XXIV, 42). Et la Nuit de Gethsémani est rendue particulièrement tragique par l'incapacité des disciples de veiller avec Jésus. « Mon âme est triste à en mourir, demeurez ici et veillez avec moi » (Matt., XXVI, 38). Mais lorsqu'il revint, il les trouva en train de dormir. Il dit à Pierre : « Ainsi, vous n'avez pas eu la force de veiller une heure avec moi » (XXVI, 40). « Veillez et priez », leur recommande-t-il de nouveau. Vainement ; en revenant, il « les trouva à nouveau en train de dormir ; car leurs yeux étaient appesantis » (XXVI, 41-43 ; cf. Marc, XIV, 34 sq. ; Luc, XXII, 46).

1. Cf. M. Eliade, *Le Chamanisme et les techniques archaïques de l'extase*, pp. 281 sq.

Cette fois encore, la « veille initiatique » s'est avérée au-dessus des forces humaines.

GNOSTICISME ET PHILOSOPHIE INDIENNE

Il n'entre pas dans l'économie de ce petit ouvrage de discuter le problème du gnosticisme dans son ensemble. Notre propos était de suivre le développement de la « mythologie de l'Oubli et du Souvenir » dans quelques cultures supérieures. Les textes gnostiques que nous venons de citer insistent, d'une part, sur la chute de l'âme dans la matière (la Vie) et le « sommeil » mortel qui s'ensuit et, d'autre part, sur l'origine extra-terrestre de l'âme. La chute de l'âme dans la matière n'est pas le résultat d'un péché antérieur, comme la spéculation philosophique grecque expliquait parfois la transmigration. Les gnostiques laissent entendre que le péché appartient à quelqu'un d'autre [1]. Étant des êtres spirituels d'origine extra-terrestre, les gnostiques ne se reconnaissent pas d' « ici », de ce monde-ci. Comme le remarque H.-Ch. Puech, le mot clé du langage technique des gnostiques est l' « autre », l' « étranger [2] ». La révélation capitale est que, « bien qu'il soit au monde, dans le monde, il (le gnostique) n'est pas du monde, il ne lui appartient pas, mais qu'il vient, qu'il est d'ailleurs [3] ». Le *Gînza* mandéen de Droite lui révèle : « Tu n'es pas d'ici, ta racine n'est pas du monde » (XV, 20).

---

1. Cf. R. M. Grant, *Gnosticism and Early Christianity* (New York, 1959), pp. 188, n. 16.
2. H.-Ch. Puech, dans l'*Annuaire du Collège de France*, 56e année (1956), pp. 186-209, p. 194.
3. H.-Ch. Puech, *Ibid.*, p. 198.

Et le *Ginza* de Gauche (III, 4) : « Tu ne viens pas d'ici, ta souche n'est pas d'ici : ton lieu est le lieu de la Vie. » Et on lit dans le *Livre de Jean* (p. 67): « Je suis un homme de l'*Autre Monde*[1]. »

Comme nous l'avons vu, la spéculation philosophique indienne, surtout la Sâmkhya-Yoga, présente une position similaire. Le Soi (*purusha*) est par excellence un « étranger », il n'a rien à faire avec le Monde (*prakrti*). Comme l'écrit Isvara Krishna (*Sâmkhya-kârikâ*, 19), le Soi (l'Esprit) « est isolé, indifférent, simple spectateur inactif » dans le drame de la Vie et de l'histoire. Plus encore : s'il est vrai que le cycle de la transmigration se prolonge par l'ignorance et les « péchés », la cause de la « chute du Soi » dans la vie, l'origine de la relation (d'ailleurs illusoire) entre le Soi (*purusha*) et la Matière (*prakrti*), sont des problèmes sans solution ; plus exactement, sans solution dans l'actuelle condition humaine. En tout cas, et comme pour les gnostiques, ce n'est pas un péché originel (i. e. humain) qui a précipité le Soi dans la roue des existences.

Pour le propos de notre recherche, l'importance du mythe gnostique, comme celle de la spéculation philosophique indienne, tient surtout au fait qu'ils réinterprètent le rapport de l'homme au drame primordial qui l'a constitué. Comme dans les religions archaïques étudiées dans les chapitres précédents, il importe aux gnostiques aussi de connaître — ou, plutôt, de se remémorer — le drame qui a eu lieu dans les Temps mythiques. Mais, contrairement à un homme des sociétés archaïques qui, en appre-

1. H.-Ch. Puech, *Ibid.*, p. 198.

nant les mythes, assume les conséquences qui dérivent de ces événements primordiaux — le gnostique apprend le mythe afin de *se désolidariser de ses résultats*. Une fois réveillé de son sommeil mortel, le gnostique (comme le disciple du Sâmkhya-Yoga) comprend qu'il n'a aucune responsabilité dans la catastrophe primordiale dont lui parle le mythe, que, par conséquent, il n'a pas de relation *réelle* avec la Vie, le Monde et l'Histoire.

Le gnostique, comme le disciple du Sâmkhya-Yoga, a déjà été puni pour le « péché » d'*avoir oublié son véritable Soi*. Les souffrances qui constituent toute existence humaine disparaissent au moment de l'éveil. L'éveil, qui est en même temps une *anámnèsis*, se traduit par une indifférence à l'égard de l'Histoire, surtout à l'égard de l'Histoire contemporaine. Ce n'est que le mythe primordial qui est important. Ce ne sont que les événements qui ont eu lieu dans le passé fabuleux qui méritent d'être connus ; car, en les apprenant, l'homme prend conscience de sa nature véritable — et s'éveille. Les événements historiques proprement dits (par exemple la guerrre de Troie, les campagnes d'Alexandre le Grand, l'assassinat de Jules César) n'ont pas de signification, puisqu'ils ne sont chargés d'aucun message sotériologique.

ANAMNÈSIS ET HISTORIOGRAPHIE

Pour les Grecs non plus, les événements historiques n'étaient pas chargés de messages sotériologiques. Et pourtant l'historiographie commence en Grèce, avec Hérodote. Hérodote nous avoue pourquoi il s'est donné la peine d'écrire ses *Histoires* : afin que les exploits des hommes ne se perdent pas au cours des temps. Il veut *conserver la mémoire* des actes des Grecs et des Barbares. D'autres historiens de l'antiquité écriront leurs ouvrages pour des raisons différentes : Thucydide, par exemple, pour illustrer la lutte pour le pouvoir, trait caractéristique, selon lui, de la nature humaine ; Polybe, pour montrer que toute l'histoire du monde converge vers l'Empire romain, et aussi parce que l'expérience acquise en étudiant l'Histoire constitue la meilleure introduction à la vie ; Tite-Live, pour découvrir dans l'Histoire des « modèles pour nous et pour notre pays » — et ainsi de suite [1].

Aucun de ces auteurs — pas même Hérodote, passionné pour les dieux et les théologies exotiques — n'écrivait son *Histoire* comme les auteurs des plus anciennes narrations historiques d'Israël, afin de prouver l'existence d'un plan divin et l'intervention du Dieu Suprême dans la vie d'un peuple. Ceci ne veut pas dire que les historiens grecs et latins aient été nécessairement dépourvus de sentiments religieux. Mais leur conception religieuse n'envisageait pas l'intervention d'un Dieu unique et personnel dans l'Histoire ; ils n'accordaient donc pas aux événements historiques la signification religieuse que ces événements avaient pour les Israélites. D'ailleurs, pour les Grecs, l'Histoire était seulement un aspect du processus cosmique, conditionné par la loi du devenir. Comme tout phénomène cosmique, l'Histoire mon-

1. Cf. Karl Löwith, *Meaning in History* (Chicago, 1939) pp. 6 sq.

trait que les sociétés humaines naissent, se développent, dégénèrent et périssent. Pour cette raison l'Histoire ne pouvait pas constituer un objet de connaissance. L'historiographie n'en était pas moins utile, puisqu'elle illustrait le processus de l'éternel devenir dans la vie des nations, et surtout qu'elle conservait la mémoire des exploits des divers peuples et les noms et les aventures des personnages exceptionnels.

Il n'entre pas dans le propos de cet essai d'examiner les différentes philosophies de l'histoire, depuis Augustin et Joachim de Fiore jusqu'à Vico, Hegel, Marx et les historicistes contemporains. Tous ces systèmes se proposent de trouver le *sens* et la *direction* de l'Histoire universelle. Ce n'est pas là notre problème. Ce n'est pas la signification que peut avoir l'*Histoire* qui intéresse notre recherche, mais l'*historiographie* : autrement dit, l'effort de conserver la mémoire des événements contemporains et le désir de connaître le plus exactement possible le passé de l'humanité.

Une curiosité semblable s'est développée progressivement depuis le Moyen Age et surtout depuis la Renaissance. Certes, à l'époque de la Renaissance, on cherchait avant tout dans l'histoire antique des modèles pour le comportement de l' « homme parfait ». On pourrait dire que Tite-Live et Plutarque, en fournissant des modèles exemplaires à la vie civique et morale, remplissaient, dans l'éducation des élites européennes, le rôle des mythes dans les sociétés traditionnelles. Mais c'est depuis le xixe siècle que l'historiographie a été amenée à jouer un rôle de premier ordre. La culture occidentale déploie comme un effort prodigieux d' « *anámnèsis* historiographique. Elle s'efforce de découvrir, d' « éveiller » et de récupérer le passé des sociétés les plus exotiques et les plus périphériques, aussi bien la préhistoire du Proche-Orient que les cultures des « primitifs » en train de s'éteindre. C'est le *passé total de l'humanité* qu'on veut ressusciter. On assiste à un élargissement vertigineux de l'horizon historique.

C'est un des rares syndromes encourageants du monde moderne. Le provincialisme culturel occidental — qui commençait l'histoire avec l'Égypte, la littérature avec Homère et la philosophie avec Thalès — est en voie d'être dépassé. Il y a mieux encore : par l'*anámnèsis* historiographique on descend profondément en soi-même. En réussissant à comprendre un Australien de nos jours ou son homologue, un chasseur paléolithique, on réussit à « éveiller » au plus profond de soi-même la situation existentielle d'une humanité préhistorique et les comportements qui en dérivent. Il ne s'agit pas d'une simple connaissance « extérieure », comme d'apprendre et de retenir le nom de la capitale d'un pays ou la date de la chute de Constantinople. Une vraie *anámnèsis* historiographique se traduit par la découverte d'une solidarité avec ces peuples disparus ou périphériques. Il y a une véritable récupération du passé, même du passé « primordial » révélé par les fouilles préhistoriques ou par les recherches ethnologiques. Dans ces derniers cas, on est confronté avec des « formes de vie », des comportements, des types de culture, c'est-à-dire, en somme, avec les structures de l'existence archaïque.

Pendant des millénaires, l'homme a travaillé rituellement et a pensé mythiquement sur les analogies entre le macrocosme et le microcosme. C'était une des possibilités de s' « ouvrir » au Monde et, ce faisant, de participer à la sacralité du Cosmos. Depuis la Renaissance, depuis que l'Univers s'est avéré infini, cette dimension cosmique que l'homme ajoutait rituellement à son existence nous est interdite. Il était normal que l'homme moderne, tombé sous l'emprise du Temps et obsédé par sa propre historicité, s'efforçât de s' « souvrir » vers le Monde en acquérant une nouvelle dimension dans les profondeurs temporelles. Inconsciemment, il se défend contre la pression de l'Histoire contemporaine par une *anámnèsis* historiographique qui lui ouvre des perspectives impossibles à soupçonner si, en suivant l'exemple de Hegel, il s'était limité à « communier avec l'Esprit Universel » en lisant, tous les matins, son journal.

Certes, il ne faut pas crier à la découverte : depuis l'antiquité, l'homme se consolait de la terreur de l'Histoire en lisant les historiens des temps révolus. Mais chez l'homme moderne, il y a quelque chose de plus : son horizon historiographique étant considérable, il lui arrive de découvrir, par l'*anámnèsis*, des cultures qui, tout en « sabotant l'Histoire », ont été prodigieusement créatrices. Quelle sera la réaction vitale d'un Occidental moderne en apprenant, par exemple, que, bien qu'elle ait été envahie et occupée par Alexandre le Grand, et bien que cette conquête ait eu une influence sur son histoire ultérieure, l'Inde n'a pas même retenu le nom du grand conquérant ? Comme d'autres cultures traditionnelles, l'Inde s'intéresse aux modèles exemplaires et aux événements paradigmatiques, et non pas au particulier et à l'individuel.

L'*anámnèsis* historiographique du monde occidental est seulement à ses débuts. Il faut attendre au moins quelques générations pour juger de ses répercussions culturelles. Mais on pourrait dire que cet *anámnèsis* prolonge, encore que sur un autre plan, la valorisation religieuse de la mémoire et du souvenir. Il ne s'agit plus de mythes ni d'exercices religieux. Mais il subsiste cet élément commun : l'importance de la remémoration exacte et totale du passé. Remémoration des *événements mythiques*, dans les sociétés traditionnelles ; remémoration de *tout ce qui s'est passé dans le Temps historique*, dans l'Occident moderne. La différence est trop évidente pour qu'on ait besoin d'y insister. Mais les deux types d'*anámnèsis* projettent l'homme en dehors de son « moment historique ». Et la véritable *anámnèsis* historiographique débouche, elle aussi, sur un Temps primordial, le Temps où les hommes fondaient leurs comportements culturels, tout en croyant que ces comportements leur étaient révélés par les Êtres Surnaturels.

CHAPITRE VIII

Grandeur et décadence des mythes

RENDRE LE MONDE OUVERT

Aux niveaux archaïques de culture, la religion maintient l'« ouverture » vers un Monde surhumain, le monde des valeurs axiologiques. Celles-ci sont « transcendantes », étant révélées par des Êtres divins ou des Ancêtres mythiques. Elles constituent par suite des valeurs absolues, paradigmes de toutes les activités humaines. Comme nous l'avons vu, ces modèles sont véhiculés par les mythes, auxquels il revient surtout d'éveiller et de maintenir la conscience d'un autre monde, d'un au-delà, monde divin ou monde des Ancêtres. Cet « autre monde » représente un plan surhumain, « transcendant », celui des *réalités absolues*. C'est dans l'expérience du sacré, dans la rencontre avec une réalité trans-humaine, que prend naissance l'idée que quelque chose *existe réellement*, qu'il existe des valeurs absolues, susceptibles de guider l'homme et de conférer une signification à l'existence humaine. C'est donc à travers l'expérience du sacré que se font jour les idées de *réalité*, de *vérité*, de *signification*, qui seront ultérieurement élaborées et systématisées par les spéculations métaphysiques.

La valeur apodictique du mythe est périodiquement reconfirmée par les rituels. La remémoration et la réactualisation de l'événement primordial aident l'homme « primitif » à distinguer et retenir le *réel*. Grâce à la répétition continuelle d'un geste paradigmatique, quelque chose se révèle comme *fixe* et *durable* dans le flux universel. Par la réitération périodique de ce qui a été fait *in illo tempore* la certitude s'impose que quelque chose *existe d'une manière absolue*. Ce « quelque chose » est « sacré », c'est-à-dire transhumain et transmondain, mais accessible à l'expérience humaine. La « réalité » se dévoile et se laisse construire à partir d'un niveau « transcendant », mais d'un « transcendant » susceptible d'être vécu rituellement et qui finit par faire partie intégrante de la vie humaine.

Ce monde « transcendant » des Dieux, des Héros et des Ancêtres mythiques est accessible parce que l'homme archaïque n'accepte pas l'irréversibilité du Temps. Nous l'avons souvent constaté : le rituel abolit le Temps profane, chronologique, et récupère le Temps sacré du mythe. On redevient contemporain des exploits que les Dieux ont effectués *in illo tempore*. La révolte contre l'irréversibilité du Temps aide l'homme à « construire la réalité » et, d'autre part, le libère du poids du Temps mort, lui donne l'assurance qu'il est capable d'abolir le passé, de recommencer sa vie et de recréer son monde.

L'imitation des gestes paradigmatiques des Dieux, des Héros et des Ancêtres mythiques

ne se traduit pas par une « éternelle répétition
du même », par une immobilité culturelle
complète. L'ethnologie ne connaît pas un seul
peuple qui n'ait pas changé au cours du temps,
qui n'ait pas eu une « histoire ». A première
vue, l'homme des sociétés archaïques ne fait
que répéter indéfiniment le même geste archétypal. En réalité, il conquiert infatigablement
le monde, il l'organise, il transforme le paysage
naturel en milieu culturel. Grâce au modèle
exemplaire révélé par le mythe cosmogonique,
l'homme devient, à son tour, créateur. Alors
qu'ils paraîtraient voués à paralyser l'initiative
humaine, en se présentant comme des modèles
intangibles, les mythes incitent en réalité
l'homme à créer, ils ouvrent continuellement
de nouvelles perspectives à son esprit inventif.

Le mythe garantit à l'homme que ce qu'il
se prépare à faire *a déjà été fait*, il l'aide à
chasser les doutes qu'il pourrait concevoir
quant au résultat de son entreprise. Pourquoi
hésiter devant une expédition maritime, puisque
le Héros mythique l'a déjà effectuée dans un
Temps fabuleux? On n'a qu'à suivre son
exemple. De même, pourquoi avoir peur de
s'installer dans un territoire inconnu et sauvage,
puisqu'on sait ce qu'on doit faire? Il suffit,
tout simplement, de répéter le rituel cosmogonique, et le territoire inconnu (= le « Chaos »)
se transforme en « Cosmos », devient une *imago
mundi*, une « habitation » légitimée rituellement.
L'existence d'un modèle exemplaire n'entrave
point la démarche créatrice. Le modèle mythique
est susceptible d'applications illimitées.

L'homme des sociétés où le mythe est chose
vivante vit dans un monde « ouvert », bien que

« chiffré » et mystérieux. Le Monde « parle » à l'homme et, pour comprendre ce langage, il suffit de connaître les mythes et de déchiffrer les symboles. A travers les mythes et les symboles de la Lune, l'homme saisit la mystérieuse solidarité entre temporalité, naissance, mort et résurrection, sexualité, fertilité, pluie, végétation et ainsi de suite. Le Monde n'est plus une masse opaque d'objets arbitrairement jetés ensemble, mais un cosmos vivant, articulé et significatif. En dernière analyse, *le Monde se révèle en tant que langage*. Il parle à l'homme par son propre mode d'être, par ses structures et ses rythmes.

L'existence du Monde est le résultat d'un acte divin de création, ses structures et ses rythmes sont le produit des événements qui ont eu lieu au commencement du Temps. La Lune a son histoire mythique, mais aussi le Soleil et les Eaux, les plantes et les animaux. Tout objet cosmique a une « histoire ». Cela veut dire qu'il est capable de « parler » à l'homme. Et parce qu'il « parle » de lui-même, en premier lieu de son « origine », de l'événement primordial à la suite duquel il est venu à l'être, l'objet devient *réel* et *significatif*. Il n'est plus un « inconnu », un objet opaque, insaisissable et dépourvu de signification, bref, « irréel ». Il participe au même « Monde » que celui de l'homme.

Une telle coparticipation non seulement rend le Monde « familier » et intelligible, elle le rend transparent. A travers les objets de ce Monde-ci, on perçoit les traces des Êtres et des puissances d'un autre monde. C'est pour cette raison que nous disions plus haut que,

pour l'homme archaïque, le Monde est à la fois
« ouvert » et mystérieux. En parlant de lui-
même, le Monde renvoie à ses auteurs et
protecteurs, et raconte son « histoire ». L'homme
ne se trouve pas dans un monde inerte et
opaque et, d'autre part, en déchiffrant le
langage du Monde, il est confronté au mystère.
Car la « Nature » dévoile et camoufle à la fois
le « surnaturel », et c'est en cela que réside pour
l'homme archaïque le mystère fondamental
et irréductible du Monde. Les mythes révèlent
tout ce qui s'est passé, depuis la cosmogonie
jusqu'à la fondation des institutions socio-
culturelles. Mais ces révélations ne constituent
pas une « connaissance » au sens strict du
terme, elles n'épuisent point le mystère des
réalités cosmiques et humaines. Ce n'est pas
parce qu'en apprenant le mythe d'origine on
arrive à maîtriser diverses réalités cosmiques
(le feu, les récoltes, les serpents, etc.), qu'on
les transforme en « objets de connaissance ».
Ces réalités continuent à **garder** leur densité
ontologique originelle.

L'HOMME ET LE MONDE

Dans un Monde pareil, l'homme ne se sent
pas emmuré dans son propre mode d'exister.
Lui aussi est « ouvert ». Il communique avec
le Monde parce qu'il utilise le même langage :
le symbole. Si le Monde lui parle à travers ses
astres, ses plantes et ses animaux, ses rivières
et ses rocs, ses saisons et ses nuits, l'homme lui
répond par ses rêves et sa vie imaginaire,
par ses Ancêtres ou ses totems — à la fois

« Nature », sur-nature et êtres humains, — par sa capacité de mourir et de ressusciter rituellement dans les cérémonies d'initiation (ni plus ni moins que la Lune et la végétation), par son pouvoir d'incarner un esprit en revêtant un masque, etc. Si le Monde est transparent pour l'homme archaïque, celui-ci sent que lui aussi est « regardé » et compris par le Monde. Le gibier le regarde et le comprend (souvent l'animal se laisse capturer parce qu'il sait que l'homme a faim), mais aussi le rocher, ou l'arbre, ou la rivière. Chacun a son « histoire » à lui raconter, un conseil à lui donner.

Tout en se sachant être humain, et s'assumant comme tel, l'homme des sociétés archaïques sait qu'il est aussi quelque chose de plus. Et, par exemple, que son Ancêtre a été un animal, ou qu'il peut mourir et revenir à la vie (initiation, transe chamanique), qu'il peut influencer les récoltes par ses orgies (qu'il est capable de se comporter avec son épouse comme le Ciel avec la Terre, ou qu'il peut jouer le rôle de la bêche et sa femme celui du sillon). Dans des cultures plus complexes, l'homme sait que ses souffles sont des Vents, ses os comme des montagnes, qu'un feu brûle dans son estomac, que son ombilic est susceptible de devenir un « Centre du Monde », etc.

Il ne faut pas s'imaginer que cette « ouverture » vers le Monde se traduit par une conception bucolique de l'existence. Les mythes des « primitifs » et les rituels qui en dépendent ne nous révèlent pas une Arcadie archaïque. Comme nous l'avons vu, les paléocultivateurs, en assumant la responsabilité de faire prospérer le monde végétal, ont également accepté la torture des victimes au profit des récoltes, l'orgie sexuelle, le cannibalisme, la chasse aux têtes. Il y a là une conception tragique de l'existence, résultat de la valorisation religieuse de la torture et de la mort violente. Un mythe comme celui de Hainuwele, et tout le complexe socio-religieux qu'il articule et justifie, force l'homme d'assumer sa condition d'être mortel et sexué, condamné à tuer et à travailler pour pouvoir se nourrir. Le monde végétal et animal lui « parle » de son origine, c'est-à-dire, en dernière analyse, de Hainuwele, le paléocultivateur comprend ce langage, et, ce faisant, il découvre une signification religieuse à tout ce qui l'entoure et à tout ce qu'il fait. Mais ceci l'oblige à accepter la cruauté et le meurtre comme une partie intégrante de son mode d'être. Certes, la cruauté, la torture, le meurtre ne sont pas des conduites spécifiques et exclusives des « primitifs ». On les rencontre tout au long de l'Histoire, parfois avec un paroxysme inconnu des sociétés archaïques. La différence consiste surtout dans le fait que, pour les primitfs, cette conduite violente a une valeur religieuse et est calquée d'après des modèles transhumains. Cette conception s'est prolongée tard dans l'Histoire ; les exterminations massives d'un Gengis-Khan, par exemple, trouvaient encore une justification religieuse.

Le mythe n'est pas, en lui-même, une garantie de « bonté » ni de morale. Sa fonction est de révéler des modèles, et de fournir ainsi une signification au Monde et à l'existence humaine. Aussi son rôle dans la constitution de l'homme est-il immense. Grâce au mythe, nous l'avons dit, les idées de *réalité*, de *valeur*, de *transcendance* se font jour lentement. Grâce au mythe, le Monde se laisse saisir en tant que Cosmos parfaitement articulé, intelligible et significatif. En racontant comment les choses ont été faites, les mythes dévoilent par qui et pourquoi elles l'ont été, et en quelles circonstances. Toutes ces « révélations » engagent plus ou moins directement l'homme, car elles constituent une « histoire sacrée ».

IMAGINATION ET CRÉATIVITÉ

En somme, les mythes rappellent continuellement que des événements grandioses ont eu lieu sur la Terre, et que ce « passé glorieux » est en partie récupérable. L'imitation des gestes paradigmatiques a également un aspect positif : le rite force l'homme de transcender ses limites, l'oblige à se situer auprès des Dieux et des Héros mythiques, afin de pouvoir accomplir leurs actes. Directement ou indirectement, le mythe opère une « élévation » de l'homme. Ceci ressort encore plus nettement si l'on tient compte que, dans les sociétés archaïques, la récitation des traditions mythologiques reste l'apanage de quelques individus. Dans certaines sociétés, les récitateurs se recrutent parmi les chamans et les medicine-men, ou parmi les membres des confréries secrètes. De toute façon, celui qui récite les mythes a dû faire la preuve de sa vocation et a dû être instruit par de vieux maîtres. Le sujet se distingue toujours soit par sa capacité mnémonique, soit par l'imagination ou le talent littéraire.

La récitation n'est pas nécessairement stéréotypée. Parfois les variantes s'écartent sensiblement du prototype. Sans doute, les enquêtes effectuées de nos jours par les ethnologues et les folkloristes ne peuvent se prévaloir de dévoiler le processus de la création mythologique. On a pu enregistrer les variantes d'un mythe ou d'un thème folklorique, mais on n'a pas enregistré l'invention d'un nouveau mythe. Il s'agit toujours des modifications plus ou moins sensibles d'un texte préexistant.

Du moins ces recherches ont-elles mis en lumière le rôle des individus créateurs dans l'élaboration et la transmission des mythes. Très probablement, ce rôle était encore plus important dans le passé, alors que la « créativité poétique », comme on dirait aujourd'hui, était solidaire et tributaire d'une expérience extatique. Or, on peut deviner les « sources d'inspiration » d'une telle personnalité créatrice à l'intérieur d'une société archaïque : ce sont des « crises », des « rencontres », des « révélations », bref, des expériences religieuses privilégiées, accompagnées et enrichies par un essaim d'images et de scénarios particulièrement vivants et dramatiques. Ce sont les spécialistes de l'extase, les familiers des univers fantastiques qui nourrissent, accroissent et élaborent les motifs mythologiques traditionnels.

En fin de compte, c'est une créativité sur le plan de l'imagination religieuse qui renouvelle la matière mythologique traditionnelle. Il apparaît par là que le rôle des personnalités créatrices a dû être plus grand qu'on ne

179

le soupçonne. Les différents spécialistes du sacré, depuis les chamans jusqu'aux bardes, ont fini par imposer dans les collectivités respectives au moins quelques-unes de leurs visions imaginaires. Certes, le « succès » de telles visions dépendait des schémas déjà existants : une vision qui contrastait radicalement avec les images et les scénarios traditionnels risquait de ne pas être facilement acceptée. Mais on connaît le rôle des medecine-men, des chamans et des vieux maîtres dans la vie religieuse des sociétés archaïques. Ce sont tous des individus différemment spécialisés dans les expériences extatiques. Les rapports entre les schémas traditionnels et les valorisations individuelles novatrices ne sont pas rigides : sous le choc d'une forte personnalité religieuse le canevas traditionnel finit par se modifier.

En un mot, les expériences religieuses privilégiées, lorsqu'elles sont communiquées par le truchement d'un scénario fantastique impressionnant, réussissent à imposer à la communauté tout entière des modèles ou des sources d'inspiration. Dans les sociétés archaïques comme partout ailleurs, la culture se constitue et se renouvelle grâce aux expériences créatrices de quelques individus. Mais parce que la culture archaïque gravite autour des mythes, et que ces derniers sont continuellement réinterprétés et approfondis par les spécialistes du sacré, la société dans son ensemble est entraînée vers les valeurs et les significations découvertes et véhiculées par ces quelques individus. En ce sens, le mythe aide l'homme à dépasser ses propres limites et conditionnements, l'incitent à s'élever « auprès des plus grands ».

HOMÈRE

Il y aurait une étude à faire sur les rapports entre les grandes personnalités religieuses, surtout les réformateurs et les prophètes, et les schémas mythologiques traditionnels. Les mouvements messianiques et millénaristes des peuples des anciennes colonies constituent un champ d'investigation presque illimité. On peut reconstituer, au moins en partie, l'empreinte de Zarathoustra sur la mythologie iranienne ou celle de Bouddha sur les mythologies traditionnelles indiennes. Quant au judaïsme, on connaît depuis longtemps la puissante « démythisation » opérée par les prophètes.

L'économie de ce petit livre ne nous permet pas de discuter ces problèmes avec l'attention qu'ils méritent. Nous choisirons d'insister un peu sur la mythologie grecque ; moins sur ce qu'elle représente en elle-même, que sur certains de ses rapports avec le christianisme.

On n'aborde pas sans hésitation le problème du mythe grec. Ce n'est qu'en Grèce que le mythe a inspiré et guidé aussi bien la poésie épique, la tragédie et la comédie, que les arts plastiques ; mais aussi ce n'est que dans la culture grecque que le mythe a été soumis à une longue et pénétrante analyse, de laquelle il est sorti radicalement « démythisé ». L'essor du rationalisme ionien coïncide avec une cri-

tique de plus en plus corrosive de la mythologie « classique », telle qu'elle se trouvait
exprimée dans les œuvres d'Homère et d'Hésiode. Si dans toutes les langues européennes
le vocable « mythe » dénote une « fiction »,
c'est parce que les Grecs l'ont proclamé il y a
déjà vingt-cinq siècles.

Qu'on le veuille ou non, tout essai d'interprétation du mythe grec, au moins à l'intérieur d'une culture de type occidental, est peu
ou prou conditionné par la critique des rationalistes grecs. Comme on va le voir, cette critique n'a été que rarement dirigée contre ce
qu'on pourrait appeler la « pensée mythique »
ou le comportement qui en résulte. Les critiques visaient surtout les actes des dieux tels
qu'ils étaient racontés par Homère et Hésiode.
On peut se demander ce qu'un Xénophane
aurait pensé du mythe cosmogonique polynésien ou d'un mythe spéculatif védique comme
celui du *Rig Veda*, X, 129. Mais comment le
savoir ? Il importe de le souligner, ce sont
surtout les aventures et les décisions arbi-
traires des dieux, leur conduite capricieuse et
injuste, leur « immoralité » qui ont constitué
la cible des attaques rationalistes. Et la principale critique était faite au nom d'une idée de
Dieu de plus en plus élevée : un vrai Dieu ne
pouvait pas être injuste, immoral, jaloux,
vindicatif, ignorant, etc. La même critique a
été reprise et aggravée plus tard par les apologistes chrétiens. *Cette* thèse, à savoir que les
mythes divins présentés par les poètes ne peuvent pas être vrais, a triomphé, au début,
parmi les élites intellectuelles grecques et
finalement, après la victoire du christia-

nisme, dans tout le monde gréco-romain.

Mais il convient de rappeler qu'Homère n'était ni un théologien ni un mythographe. Il ne prétendait pas présenter, d'une manière systématique et exhaustive, l'ensemble de la religion et de la mythologie grecques. S'il est vrai, comme le dit Platon, qu'Homère a éduqué toute la Grèce, il destinait ses poèmes à une audience spécifique : les membres d'une aristocratie militaire et féodale. Son génie littéraire a exercé une fascination jamais égalée ; aussi ses œuvres ont-elles fortement contribué à unifier et articuler la culture grecque. Mais, n'écrivant pas un traité de mythologie, il n'enregistrait pas tous les thèmes mythiques qui circulaient dans le monde grec. Il n'entendait pas davantage évoquer des conceptions religieuses et mythologiques étrangères, ou sans grand intérêt pour son audience, par excellence patriarcale et guerrière. De tout ce qu'on pourrait appeler l'élément nocturne, chtonien, funéraire de la religion et de la mythologie grecques, Homère ne dit presque rien. L'importance des idées religieuses de sexualité et de fécondité, de mort, de vie d'outre-tombe, nous a été révélée par des auteurs tardifs et par les fouilles archéologiques. C'est donc cette conception homérique des dieux et de leurs mythes qui s'est imposée partout dans le monde et qui a été définitivement fixée, comme dans un univers atemporel d'archétypes, par les grands artistes de l'époque classique. Inutile de nous arrêter sur sa grandeur, sa noblesse et son rôle dans la formation de l'esprit occidental. On n'a qu'à relire *Die Götter Griechenlands* de

Walter Otto, pour communier avec ce monde lumineux des « Formes parfaites ».

Mais que le génie d'Homère et l'art classique aient donné un éclat sans pareil à ce monde divin, cela n'implique pas que tout ce qui a été négligé fût ténébreux, obscur, inférieur ou médiocre. Il y avait Dionysos, par exemple, sans lequel on ne peut pas concevoir la Grèce, et pour lequel Homère se contente d'une allusion à un incident de son enfance. D'autre part, des fragments mythologiques sauvés par des historiens et par des érudits nous introduisent dans un monde spirituel qui n'est pas sans grandeur. Ces mythologies non homériques et, en général, non « classiques » étaient plutôt « populaires ». Elles n'ont pas subi l'érosion des critiques rationalistes et, très probablement, ont survécu en marge de la culture des lettrés pour bien des siècles. Il n'est pas exclu que des restes de ces mythologies populaires subsistent encore, camouflés, « christianisés », dans les croyances grecques et méditerranéennes de nos jours. Nous reviendrons sur ce problème.

THÉOGONIE ET GÉNÉALOGIE

Hésiode recherchait une autre audience. Il raconte des mythes ignorés ou à peine esquissés dans les poèmes homériques. Il est le premier à parler de Prométhée. Mais il ne pouvait se rendre compte que le mythe central de Prométhée était fondé sur un malentendu, plus exactement, sur l' « oubli » de la signification religieuse primordiale. En effet, Zeus se venge de Prométhée parce que celui-ci, appelé à arbitrer le partage de la victime du premier sacrifice, avait recouvert les os d'une couche de graisse, tout en couvrant avec l'estomac la chair et les entrailles. Attiré par la graisse, Zeus avait choisi pour les dieux le lot le plus pauvre, abandonnant aux hommes la chair et les entrailles (*Théogonie*, 534 sq.). Or, Karl Meuli [1] a rapproché ce sacrifice olympien des rituels des chasseurs archaïques de l'Asie septentrionale : ceux-ci vénèrent leurs Êtres Suprêmes célestes en leur offrant les os et la tête de l'animal. La même coutume rituelle s'est maintenue chez les peuples pasteurs de l'Asie Centrale. Ce qui, à un stade archaïque de culture, était considéré l'hommage par excellence à un Dieu céleste, était devenu en Grèce la fourberie exemplaire, le crime de lèse-majesté contre Zeus, le dieu suprême. Nous ignorons à quel moment se produisit ce gauchissement du sens rituel originel, et par quels détours Prométhée fut accusé de ce crime. Si nous avons cité cet exemple, c'est seulement pour montrer qu'Hésiode fait état des mythes très archaïques, ayant leurs racines dans la préhistoire ; mais ces mythes avaient déjà subi un long processus de transformation et de modification avant d'être enregistrés par le poète.

Hésiode ne se contente pas d'enregistrer les mythes. Il les systématise et, ce faisant, il introduit déjà un principe rationnel dans ces créations de la pensée mythique. Il comprend la généalogie des Dieux comme une série suc-

1. Karl Meuli, « Griechische Opferbräuche » (*Phyllobolia für Peter Von der Mühl*, Basel, 1946, pp. 185-288).

cessive de procréations. La procréation est, pour lui, la forme idéale de venue à l'existence. W. Jaeger a justement mis en relief le caractère rationnel de cette conception, où la pensée mythique se laisse articuler par la pensée causale [1]. L'idée d'Hésiode qu'Éros a été le premier dieu à faire son apparition après Chaos et Terre (*Théogonie*, 116 sq.) a été ultérieurement développée par Parménide et Empédocle [2]. Platon a souligné dans le *Banquet* (178 *b*) l'importance de cette conception pour la philosophie grecque.

LES RATIONALISTES ET LE MYTHE

Il n'est pas question de résumer ici le long processus d'érosion qui a fini par vider les mythes et les dieux homériques de leurs significations originelles. Si l'on croit Hérodote (I, 32), déjà Solon aurait affirmé que la « déité est pleine d'envie et d'instabilité ». De toute façon, les premiers philosophes milésiens refusaient de voir dans les descriptions homériques la Figure de la vraie divinité. Lorsque Thalès affirmait que « tout est plein de dieux » (A 22), il s'insurgeait contre la conception d'Homère, qui cantonnait les dieux dans certaines régions cosmiques. Anaximandre propose une conception totale de l'Univers, sans dieux ni mythes. Quant à Xénophane (né vers 565), il n'hé-

---

1. Werner Jaeger, *Paideia : The Ideals of Greek Culture*, vol. I (2ᵉ éd., New York, 1945), pp. 65 sq. ; id., *The Theology of the Early Greek Philosophers* (Oxford, 1947), p. 12.
2. W. Jaeger, *The Theology of the Early Greek Philosophers*, p. 14.

site pas à attaquer ouvertement le panthéon homérique. Il refuse de croire que Dieu s'agite et se meut comme le raconte Homère (B 26). Il rejette l'immortalité des Dieux telle qu'elle ressort des descriptions d'Homère et d'Hésiode : « Au dire d'Homère et d'Hésiode, les dieux font toutes sortes de choses que les hommes considéreraient honteuses : adultère, vol, tromperie mutuelle » (B 11, B 12) [1]. Il n'accepte pas non plus l'idée de procréation divine : « Mais les mortels considèrent que les dieux sont nés, qu'ils portent des vêtements, ont un langage et un corps à eux » (B 14) [2]. Surtout, il critique l'anthropomorphisme des dieux : « Si les bœufs et les chevaux et les lions avaient des mains et pouvaient, avec leurs mains, peindre et produire des œuvres comme les hommes, les chevaux peindraient des figures de dieux pareilles à des chevaux, et les bœufs pareils à des bœufs, et ils leur prêteraient les corps qu'ils ont eux-mêmes » (B 15) [3]. Pour Xénophane, « il est un dieu au-dessus de tous les dieux et les hommes ; sa forme ni sa pensée n'ont rien de commun avec celles des mortels » (B 23).

On saisit dans ces critiques de la mythologie « classique » l'effort déployé pour dégager ce concept de divinité des expressions anthropomorphiques des poètes. Un auteur aussi pro-

1. Trad. Jaeger, *op. cit.*, p. 47.
2. Trad. G. S. Kirk et J. E. Raven, *The Presocratic Philosophers* (Cambridge, 1957), p. 168 ; cf. aussi Kathleen Freeman, *Ancilla to the Pre-Socratic Philosophers* (Cambridge, Mass., 1948), p. 22. On trouvera les documents et les bibliographies sur les Milésiens dans Pierre-Maxime Schuhl, *Essai sur la formation de la pensée grecque* (2e éd., Paris, 1949), pp. 163 sq., et dans Kathleen Freeman, *The Pre-Socratic Philosophers. A Companion to Diels, Fragmente der Vorsokratiker* (Oxford, 1946), pp. 49 sq.
3. Trad. Kirk and Raven, *op. cit.*, p. 169.

fondément religieux que Pindare récuse les mythes « incroyables » (*I Olympique*, 28 sq.). La conception de Dieu d'Euripide a été entièrement influencée par la critique de Xénophane. Au temps de Thucydide, l'adjectif *mythódes* signifiait « fabuleux et sans preuve » par opposition à n'importe quelle vérité ou réalité [1]. Lorsque Platon (*République*, 378 sq.) met les poètes en accusation, pour la manière dont ils ont présenté les dieux, il s'adresse probablement à une audience convaincue d'avance.

La critique des traditions mythologiques a été poussée jusqu'au pédantisme par les rhéteurs alexandrins. Comme nous le verrons, les apologistes chrétiens se sont inspirés de ces auteurs lorsqu'il s'est agi de distinguer les éléments historiques des Évangiles. L'alexandrin Aelius Théon (IIe siècle A. D. environ) discute longuement des arguments par lesquels on peut démontrer l'impossibilité d'un mythe ou d'une narration historique, et il illustre sa méthode par l'analyse critique du mythe de Médée. Théon estime qu'une mère ne pouvait pas tuer ses propres enfants. L'action est déjà « incroyable » parce que Médée n'aurait pas pu massacrer ses enfants dans la cité même (Corinthe) où vivait leur père, Jason. En outre, la manière même dont le crime a été commis est improbable : Médée aurait essayé de cacher son forfait et, étant sorcière, elle aurait utilisé le poison au lieu de l'épée. Enfin, la justification de son geste est hautement improbable : la colère contre son mari n'aurait pas pu la pousser à égorger leurs enfants, qui étaient en même

---

1. Cf. Thucydide, *Histoire*, I, 21 ; W. Jaeger, *op. cit.*, pp. 19, 197-198.

temps ses enfants à elle ; par cet acte, c'était à elle-même qu'elle se serait fait le plus de mal, puisque les femmes sont sujettes aux émotions plus que les hommes [1].

ALLÉGORISMES ET ÉVHÉMÉRISME

Plus qu'une critique dévastatrice du mythe, c'est une critique de tout monde imaginaire, entreprise au nom d'une psychologie simpliste et d'un rationalisme élémentaire. Pourtant, la mythologie d'Homère et d'Hésiode continuait d'intéresser les élites du monde hellénistique entier. Mais les mythes n'étaient plus compris littéralement : on leur cherchait maintenant des « significations cachées », des « sous-entendus » ; *hypónoiai* ; le terme *allégoria* a été employé plus tard). Déjà Théagène de Rhegium (floruit c. 525) avait suggéré que, chez Homère, les noms des dieux représentent soit les facultés humaines, soit les éléments naturels. Mais ce sont surtout les stoïciens qui ont développé l'interprétation allégorique de la mythologie homérique et, en général, de toutes les traditions religieuses. Chrysippe réduisait les dieux grecs à des principes physiques ou éthiques. Dans les *Quaestiones Homericae* d'Héraclite (Ier siècle A. D.) on trouve toute une collection d'interprétations allégoriques : par exemple, l'épisode mythique où l'on voit Zeus liant Héra signifie en réalité que l'éther est la limite de l'air, etc. La méthode allégorique fut

1. Aelius Théon, *Progymnasmata* (94, 12-32), résumé par Robert M. Grant, *The Earliest Lives of Jesus* (New York, 1961), pp. 41-42 ; cf. aussi *Ibid.*, pp. 120 sq.

étendue par Philon au déchiffrement et à l'illustration des « énigmes » de l'Ancien Testament. Comme on le verra plus loin, un certain allégorisme, à savoir la typologie, la correspondance entre les deux Testaments, a été abondamment utilisée par les Pères, surtout par Origène.

D'après certains savants, l'allégorie n'a jamais été très populaire en Grèce, elle a eu plus de succès à Alexandrie et à Rome. Il reste que, grâce aux différentes interprétations allégoriques, Homère et Hésiode ont été « sauvés » aux yeux des élites grecques et que les dieux homériques ont réussi à garder une haute valeur culturelle. Le sauvetage du panthéon et de la mythologie homériques n'est pas uniquement l'œuvre de la méthode allégorique. Au début du iiie siècle av. J.-C., Évhémère publia un roman sous forme de voyage philosophique, son *Histoire sacrée* (*Hiéra ánagraphè*), dont le succès fut immédiat et considérable. Ennius le traduisit en latin ; ce fut d'ailleurs le premier texte grec traduit en cette langue. Évhémère croyait avoir découvert l'origine des dieux : ceux-ci étaient d'anciens rois divinisés. C'était encore une possibilité « rationnelle » de conserver les dieux d'Homère. Ces dieux avaient maintenant une « réalité » : elle était d'ordre historique (plus exactement, préhistorique) ; leurs mythes représentaient le souvenir confus, ou transfiguré par l'imagination, des gestes des rois primitifs.

Cet allégorisme à rebours a eu des répercussions considérables, insoupçonnées d'Évhémère et d'Ennius, et même de Lactance et d'autres apologistes chrétiens, lorsque ceux-ci s'appuyaient sur Évhémère pour démontrer l'humanité, et donc l'irréalité, des dieux grecs. Grâce à l'allégorisme et à l'évhémérisme, grâce surtout au fait que toute la littérature et tout l'art plastique s'étaient développés autour des mythes divins et héroïques, ces dieux et ces héros grecs n'ont pas sombré dans l'oubli à la suite du long processus de démythisation, ni après le triomphe du christianisme.

Au contraire, comme l'a montré Jean Seznec dans son beau livre *The Survival of the Pagan Gods*, les dieux grecs, évhémérisés, ont survécu durant tout le Moyen Age, bien qu'ils eussent perdu leurs formes classiques et se fussent camouflés sous les déguisements les plus inattendus. La « redécouverte » de la Renaissance consiste surtout dans la restauration des formes pures, « classiques »[1]. Et c'est d'ailleurs vers la fin de la Renaissance que le monde occidental se rendit compte qu'il n'existe plus de possibilité de réconcilier le « paganisme » gréco-latin avec le christianisme ; alors que le Moyen Age ne considérait pas l'antiquité en tant qu'un milieu historique distinct, comme une période révolue »[2].

Ainsi, il se trouve qu'une mythologie sécularisée et un panthéon évhémérisé ont survécu et sont devenus, depuis la Renaissance, objet d'investigation scientifique, et cela parce que l'antiquité mourante ne croyait plus aux dieux d'Homère ni dans le sens originel de leurs mythes. Cet héritage mythologique a pu être

1. Jean Seznec, *The Survival of the Pagan Gods. The Mythological Traditions and its place in Renaissance Humanism and Art* (New York, 1953), pp. 320 sq.
2. Jean Seznec, *op. cit.*, p. 322.

accepté et assimilé par le christianisme parce qu'il n'était plus chargé de valeurs religieuses vivantes. Il était devenu un « trésor culturel ». En fin de compte, l'héritage classique a été « sauvé » par les poètes, les artistes et les philosophes. Les dieux et leurs mythes ont été véhiculés, depuis la fin de l'antiquité — alors qu'aucune personne cultivée ne les prenait plus à la lettre — jusqu'à la Renaissance et au xviie siècle, par les *œuvres*, par les créations littéraires et artistiques.

DOCUMENTS ÉCRITS ET TRADITIONS ORALES

Grâce à la *culture*, un univers religieux désacralisé et une mythologie démythisée ont formé et nourri la civilisation occidentale, la seule civilisation qui ait réussi à devenir exemplaire. Il y a là plus qu'un triomphe du *logos* contre le *mythos*. Il y a la victoire du *livre* sur la *tradition orale*, du document — surtout du document écrit — sur une expérience vécue qui ne disposait que des moyens de l'expression pré-littéraire. Un nombre considérable de textes écrits et d'œuvres d'art antiques ont péri. Il en reste assez pour reconstituer dans ses grandes lignes l'admirable civilisation méditerranéenne. Tel n'est pas le cas des formes pré-littéraires de culture, en Grèce aussi bien que dans l'Europe antique. Nous savons très peu sur les religions et les mythologies populaires de la Méditerranée, et ce peu nous le devons aux monuments et aux quelques documents écrits. Parfois — pour les mystères d'Éleusis, par exemple — la pauvreté de notre information s'explique par un secret initiatique trop bien gardé. Dans d'autres cas, nous sommes renseignés sur des cultes et croyances populaires grâce à un heureux hasard. C'est ainsi que, si Pausanias n'avait pas raconté son expérience personnelle à l'oracle de Trophonios de Lebadeia (IX, 39), nous aurions dû nous contenter de quelques vagues allusions d'Hésiode, d'Euripide et d'Aristophane. Nous n'aurions même pas soupçonné la signification et l'importance de ce centre religieux.

Les mythes grecs « classiques » représentent déjà le triomphe de l'*œuvre* littéraire sur la *croyance* religieuse. Nous ne disposons d'aucun mythe grec transmis avec son contexte cultuel. Nous connaissons les mythes à l'état de « documents » littéraires et artistiques, et non pas en tant que sources, ou expressions, d'une expérience religieuse solidaire d'un rite. Toute une région, *vivante*, populaire, de la religion grecque nous échappe, et justement parce qu'elle n'a pas été décrite d'une manière systématique par écrit.

Il ne faut pas juger de la vitalité de la religiosité grecque uniquement d'après le degré d'adhésion aux mythes et cultes olympiens. La critique des mythes homériques n'impliquait pas nécessairement le rationalisme ou l'athéisme. Que les *formes classiques* de la pensée mythique aient été « compromises » par la critique rationaliste, cela ne veut pas dire que cette pensée ait été définitivement abolie. Les élites intellectuelles avaient découvert d'autres mythologies susceptibles de justifier et d'articuler de nouvelles conceptions religieuses. Il y avait les religions des Mystères

Aspects du Mythe.   7

d'Éleusis et des confréries orphico-pythago-
riciennes aux Mystères gréco-orientaux, si
populaires dans la Rome impériale et dans les
provinces. Il y avait, en outre, ce qu'on
pourrait appeler les mythologies de l'âme, les
sotériologies élaborées par les néo-pythagori-
ciens, les néo-platoniciens et les gnostiques.
Il faut ajouter l'expansion des cultes et mythologies solaires, les mythologies astrales et funéraires, et aussi toute sorte de « superstitions »
et « basse mythologie » populaires.

Nous avons rappelé ces quelques faits pour
qu'on ne s'imagine pas que la démythisation
d'Homère et de la religion classique avait
provoqué dans le monde méditerranéen un
vide religieux, dans lequel le christianisme se
serait installé presque sans résistance. En réalité, le christianisme s'est heurté à plusieurs
types de religiosité. La vraie résistance n'est
pas venue de la religion et la mythologie « classiques », allégorisées et évhémérisées ; leur
force était surtout d'ordre politique et culturel ;
la Cité, l'État, l'Empire, le prestige de l'incomparable culture gréco-romaine, constituaient
un édifice considérable. Mais du point de vue
de la religon vivante, cet édifice était précaire,
prêt à s'écraser sous le choc d'une expérience
religieuse authentique.

La véritable résistance, le christianisme l'a
rencontrée dans les religions des Mystères et les
sotériologies (qui poursuivaient le salut de
l'individu et ignoraient ou méprisaient les
formes de la religion civile), et surtout dans les
religions et les mythologies populaires *vivantes*
de l'Empire. Sur ces religions nous sommes
encore moins renseignés que sur la religion

populaire grecque et méditerranéenne. Nous savons quelque chose sur Zalmoxis des Gètes parce qu'Hérodote en a rapporté certaines informations puisées chez les Grecs de l'Hellespont. Sans ce témoignage, on aurait dû se contenter d'allusions, comme pour d'autres divinités thraces des Balkans : Darzales, Bendis, Kotys, etc. Lorsqu'on dispose d'informations un peu moins sommaires sur les religions pré-chrétiennes de l'Europe, on se rend compte de leur complexité et de leur richesse. Mais comme ces peuples, au temps de leur paganisme, n'ont pas produit de *livres*, nous ne connaîtrons jamais à fond leurs religions et mythologies originelles.

Et pourtant, il s'agissait d'une vie religieuse et d'une mythologie suffisamment puissantes pour résister à dix siècles de christianisme et à d'innombrables offensives des autorités ecclésiastiques. Cette religion avait une structure cosmique, et nous verrons qu'elle a fini par être tolérée et assimilée par l'Église. En effet, le christianisme rural, surtout dans l'Europe méridionale et du Sud-Est, est affecté d'une dimension cosmique.

Pour conclure : si la religion et la mythologie grecques, radicalement sécularisées et démythisées, ont survécu dans la *culture* européenne, c'est justement parce qu'elles avaient été exprimées par des chefs-d'œuvre littéraires et artistiques. Tandis que les religions et les mythologies populaires, les seules formes païennes *vivantes* au moment du triomphe du christianisme (mais dont nous ne savons presque rien, puisqu'elles n'ont pas eu d'expression écrite) ont survécu, christianisées, dans les traditions des populations rurales. Comme il s'agissait essentiellement d'une religion de structure agricole, dont les racines plongent dans le néolithique, il est probable que le folklore religieux européen conserve encore un héritage préhistorique.

Mais ces survivances des mythes et des com portements religieux archaïques, bien que constituant un phénomène spirituel important, n'ont eu, sur le plan culturel, que des conséquences modestes. La révolution opérée par l'écriture a été irréversible. Dorénavant, l'histoire de la culture ne tiendra compte que des documents archéologiques et des textes écrits. Un peuple démuni de *cette* espèce de documents est considéré un peuple sans histoire. Les créations populaires et les traditions orales ne seront valorisées que très tard, à l'époque du romantisme allemand ; il s'agit déjà d'un intérêt d'antiquaire. Les créations populaires, où survivent encore le comportement et l'univers mythiques, ont fourni parfois une source d'inspiration aux quelques grands artistes européens. Mais de telles créations populaires n'ont jamais rempli un rôle important dans la culture. Elles ont fini par être traitées comme des « documents », et, en tant que tels, elles sollicitent la curiosité de certains spécialistes. Pour intéresser un homme moderne, cet héritage traditionnel *oral* doit être présenté sous la forme du *livre*...

CHAPITRE IX

Survivances et camouflage des mythes.

CHRISTIANISME ET MYTHOLOGIE

Il est difficile de présenter en quelques pages les rapports entre le christianisme et la pensée mythique. Ces rapports posent plusieurs problèmes bien distincts. Il y a, avant tout, l'équivoque liée à l'usage du terme « mythe ». Les premiers théologiens chrétiens prenaient ce vocable dans le sens qui s'était imposé depuis plusieurs siècles dans le monde gréco-romain, celui de « fable, fiction, mensonge ». En conséquence, ils refusaient de voir dans la personne de Jésus un personnage « mythique » et dans le drame christologique un « mythe ». Dès le IIe siècle, la théologie chrétienne fut amenée à défendre l'historicité de Jésus à la fois contre les docétistes et les gnostiques, et contre les philosophes païens. Nous verrons tout à l'heure les arguments qu'elle utilisa pour défendre sa thèse et les difficultés qu'elle eut à vaincre.

Le deuxième problème est solidaire du premier : il ne concerne plus l'historicité de Jésus, mais la valeur des témoignages littéraires fondant cette historicité. Origène déjà se rendait compte de la difficulté d'étayer sur des documents incontestables un événement historique. De nos jours, un Rudolf Bultmann affirme qu'on ne peut rien connaître de la vie et de la personne de Jésus, bien qu'il ne doute pas de son existence historique. Cette position méthodologique suppose que les Évangiles et les autres témoignages primitifs sont imbibés d' « éléments mythologiques » (le terme étant entendu au sens de « ce qui ne peut pas exister »). Que des « éléments mythologiques » abondent dans les Évangiles, c'est l'évidence. En outre, des symboles, des Figures et des rituels d'origine juive ou méditerranéenne ont été de bonne heure assimilés par le christianisme. Nous verrons plus loin la signification de ce double processus de « judaïsation » et de « paganisation » du christianisme primitif.

Ajoutons que la présence massive des symboles et des éléments cultuels solaires ou de structure msytérique, dans le christianisme, a encouragé certains savants à rejeter l'historicité de Jésus. Ils ont renversé la position d'un Bultmann, par exemple. Au lieu de postuler, au début du christianisme, un personnage historique dont on ne peut rien savoir, par suite de la « mythologie » dont il a été très vite surchargé, ces savants ont postulé, au contraire, un « mythe » qui a été imparfaitement « historicisé » par les premières générations de chrétiens. Pour ne citer que les modernes, de Arthur Drews (1909) et Peter Jensen (1906, 1909) à P.-L. Couchoud (1924), des savants d'orientation et de compétence différentes ont laborieusement essayé de reconstituer le « mythe originel » qui aurait donné naissance à la figure du Christ et finalement au christianisme. Ce « mythe originel » varie d'ailleurs d'un auteur à l'autre. Il y aurait une étude passionnante à consacrer à ces reconstitutions aussi savantes qu'aventureuses. Elles trahissent une certaine nostalgie de l'homme moderne pour le « primordial mythique ». (Dans le cas de P.-L. Couchoud, cette exaltation de la non-historicité du mythe aux dépens de la pauvreté du concret historique est évidente). Mais aucune de ces hypothèses non historicistes n'a été acceptée par les spécialistes.

Enfin, un troisième problème se pose lorsqu'on étudie les rapports entre la pensée mythique et le christianisme. On peut le formuler de la façon suivante : si les chrétiens ont refusé de voir dans leur religion le *mythos* désacralisé de l'époque hellénistique, quelle est la situation du christianisme face au *mythe vivant*, tel qu'il a été connu dans les sociétés archaïques et traditionnelles ? Nous verrons que les christianisme, tel qu'il a été compris et vécu dans les presque deux millénaires de son histoire, ne peut pas être complètement désolidarisé de la pensée mythique.

HISTOIRE ET « ÉNIGMES » DANS LES ÉVANGILES

Voyons maintenant comment les Pères s'y sont pris pour défendre l'historicité de Jésus, aussi bien contre les incroyants païens que contre les « hérétiques ». Lorsque s'est posé le problème de présenter la vie authentique de Jésus, c'est-à-dire telle qu'elle a été connue et transmise oralement par les Apôtres, les théologiens de l'Église primitive se sont trouvés devant un certain nombre de textes et de traditions orales qui circulaient dans les milieux différents. Les Pères ont fait preuve d'esprit critique et d'orientation « historiciste » avant la lettre en refusant de considérer les Évangiles apocryphes et les *logia agrapha* comme des documents authentiques. Ils ont pourtant ouvert la porte à de longues controverses au sein de l'Église et ont facilité l'offensive de non-chrétiens en acceptant non pas un seul, mais quatre Évangiles. Puisqu'il y avait des différences entre les Évangiles synoptiques et l'Évangile de Jean, il fallait les expliquer et les justifier par l'exégèse.

La crise exégétique fut déclenchée par Marcion en 137. Celui-ci proclamait qu'il existe un seul Évangile authentique, d'abord transmis oralement, puis rédigé et patiemment interpolé par des partisans enthousiastes du judaïsme. Cet Évangile déclaré seul valable était celui de Luc, réduit par Marcion à ce qu'il croyait le noyau authentique [1]. Marcion avait appliqué la méthode des grammairiens gréco-romains, qui se faisaient fort de distinguer les excroissances mythologiques des textes théologiques anciens. Dans leur réplique à Marcion et aux autres gnostiques, les orthodoxes furent obligés d'utiliser la même méthode.

Au début du IIe siècle, Aelius Théon montrait dans son traité : *Progymnasmata*, la diffé-

---

1. Pour tout ce qui suit, voir Robert M. Grant, *The Earliest Lives of Jesus* (New York, 1961), pp. 10 sq.

rence entre mythe et narration : le mythe est « un exposé faux dépeignant du vrai », tandis que la narration est « un exposé décrivant des événements qui ont eu lieu ou pourraient avoir eu lieu »[1]. Les théologiens chrétiens niaient, évidemment, que les Évangiles fussent des « mythes » ou des « histoires merveilleuses ». Justin, par exemple, ne pouvait pas admettre l'existence d'un risque quelconque de confondre les Évangiles avec des « histoires merveilleuses ». La vie de Jésus était l'accomplissement des prophéties de l'Ancien Testament, et quant à la forme littéraire des Évangiles, elle n'était pas celle du mythe. Mieux encore : Justin estimait qu'on pouvait offrir au lecteur non chrétien des preuves matérielles de la véracité historique des Évangiles. La nativité, par exemple, pouvait être démontrée par « des déclarations d'impôt présentées sous le procurateur Quirinus et (*ex hypothesi?*) accessibles à Rome un siècle et demi plus tard »[2]. Pareillement, un Tatien ou un Clément d'Alexandrie considéraient les Évangiles comme des documents historiques.

Mais le plus important pour notre propos est Origène. Origène était trop convaincu de la valeur spirituelle des histoires conservées par les Évangiles pour admettre qu'on puisse les comprendre d'une manière grossièrement littérale, comme les simples croyants et les hérétiques — et c'est pourquoi il prônait l'exégèse allégorique. Mais, amené à défendre

1. Grant, *op. cit.*, p. 15. Sur Théon, voir *Ibid.*, pp. 39 sq. Cf. aussi *The Letter and the Spirit* (London, 1957), pp. 120 sq., et Jean Pépin, *Mythe et Allégorie. Les origines grecques et les contestations judéo-chrétiennes* (Paris, 1958).
2. R. M. Grant, *The Earliest Lives*, p. 21.

le christianisme contre Celse, il insista sur l'historicité de la vie de Jésus et s'efforça de valider tous les témoignages historiques. Origène critique et rejette l'historicité de l'épisode des marchands chassés du temple. « Dans la partie de son système qui traite de l'inspiration et de l'exégèse, Origène nous dit que là où la réalité historique ne s'accordait pas avec la vérité spirituelle, les Écritures introduisaient dans leurs récits certains événements, les uns entièrement irréels, les autres susceptibles de se produire, mais qui en fait ne s'étaient pas produits »[1]. A la place de « mythe » et « fiction », il utilise « énigme » et « parabole » ; mais il n'y a pas de doute que pour lui ces termes sont équivalents[2].

Origène reconnaît donc que les Évangiles présentent des épisodes qui ne sont pas historiquement « authentiques », tout en étant « vrais » sur le plan spirituel. Mais, répondant aux critiques de Celse, il reconnaît également la difficulté de prouver l'historicité d'un événement historique. « Essayer d'établir la vérité de presque n'importe quelle histoire comme fait historique, lors même que l'histoire est vraie, c'est là une des tâches les plus difficiles, et parfois une tâche impossible[3] ».

Origène croit, néanmoins, que certains événements de la vie de Jésus sont suffisamment établis par des témoignages historiques. Par exemple, Jésus a été crucifié devant un grand nombre de personnes. Le tremblement de terre et les ténèbres peuvent être confirmés par la

1. Origène, *De principiis*, IV, 2, 9, cité par Grant, *op. cit.*, p. 65.
2. Grant, *op. cit.*, p. 66.
3. *Contra Celsum*, I, 42, cité par Grant, p. 71.

relation historique de Phlégon de Tralles[1]. La Cène est un événement historique qui peut être daté avec précision[2]. De même l'épreuve de Gethsémani, bien que l'Évangile de Jean n'en parle point (Origène explique la raison de ce silence : Jean s'intéresse plus à la divinité de Jésus, et sait que Dieu le Logos ne peut pas être tenté). La résurrection est « vraie » dans le sens historique du terme, parce qu'elle est un événement, bien que le corps ressuscité n'appartienne plus au monde physique. (Le corps ressuscité était un corps aérien, spirituel.[3])

Origène, s'il ne doute pas de l'historicité de la vie, de la passion et de la résurrection de Jésus-Christ, s'intéresse davantage au sens spirituel, non historique, du texte évangélique. Le vrai sens se trouve « au-delà de l'histoire »[4]. L'exégèse doit être capable de se « délivrer des matériaux historiques », car ces derniers ne sont qu'un « tremplin ». Trop insister sur l'historicité de Jésus, négliger le sens profond de sa vie et de son message, c'est mutiler le christianisme. « Les hommes, écrit-il dans son *Commentaire à l'Évangile de Jésus*, sont tout émerveillés lorsqu'ils considèrent les événements de la vie de Jésus, mais ils deviennent sceptiques lorsqu'on leur en révèle la signification profonde, qu'ils refusent d'accepter comme vraie »[5].

1. *Contra Celsum*, II, 56-59, Grant, p. 75.
2. Cf. Grant, p. 93.
3. Cf. Grant, p. 78.
4. Voir R. Grant, *op. cit.*, pp. 115-116, et Jean Daniélou, *Message évangélique et culture hellénistique aux II⁰ et III⁰ siècles* (Paris, 1961), pp. 251 sq.
5. *Commentaire à Jean*, 20, 30, cité par Grant, p. 116.

Origène a très bien saisi que l'originalité du christianisme tient en premier lieu au fait que l'Incarnation s'est effectuée dans un Temps historique et non pas dans un Temps cosmique. Mais il n'oublie pas que le Mystère de l'Incarnation ne peut pas être réduit à son historicité. D'ailleurs, en proclamant « aux nations » la divinité de Jésus-Christ, les premières générations de chrétiens proclamaient implicitement sa trans-historicité. Non que Jésus ne fût pas considéré comme un personnage historique, mais on soulignait avant tout qu'il était le Fils de Dieu, le Sauveur universel qui avait racheté non seulement l'homme, mais aussi la Nature. Plus encore : l'historicité de Jésus avait été déjà transcendée par son ascension au Ciel et par sa réintégration dans la Gloire divine.

En proclamant l'Incarnation, la Résurrection et l'Ascension du Verbe, les chrétiens étaient convaincus qu'ils ne présentaient pas un nouveau mythe. En réalité, ils utilisaient les catégories de la pensée mythique. Sans doute ne pouvaient-ils pas reconnaître cette pensée mythique dans les mythologies désacralisées de leurs contemporains païens lettrés. Mais il est évident que, pour les chrétiens de toutes les confessions, le centre de la vie religieuse est constitué par le drame de Jésus-Christ. Bien qu'accompli dans l'Histoire, ce drame a rendu possible le salut ; en conséquence, il n'existe qu'un seul moyen d'obtenir le salut : réitérer rituellement ce drame exemplaire et imiter le modèle suprême, révélé par la vie et l'enseignement de Jésus. Or, ce comportement religieux est solidaire de la pensée mythique authentique.

Il faut ajouter aussitôt que, *du fait même qu'il est une religion*, le christianisme a dû conserver au moins un comportement mythique : le temps liturgique, c'est-à-dire le recouvrement périodique de l'*illud tempus* des « commencements ». « L'expérience religieuse du chrétien se fonde sur l'*imitation* du Christ comme *modèle exemplaire*, sur la *répétition* liturgique de la vie, de la mort et de la résurrection du Seigneur, et sur la *contemporanéité* du chrétien avec l'*illud tempus* qui s'ouvre à la Nativité de Bethléem et s'achève provisoirement avec l'Ascension ». Or, nous l'avons vu, « l'imitation d'un modèle transhumain, la répétition d'un scénario exemplaire et la rupture du temps profane par une ouverture qui débouche sur le Grand Temps, constituent les notes essentielles du « comportement mythique », c'est-à-dire de l'homme des sociétés archaïques, qui trouve dans le mythe la source même de son existence [1] ».

Bien que le Temps liturgique soit un temps circulaire, le christianisme, fidèle héritier du judaïsme, accepte pourtant le Temps linéaire de l'Histoire : le Monde a été créé une seule fois et aura une seule fin ; l'Incarnation a eu lieu une seule fois, dans le Temps historique,

1. M. Eliade, *Mythes, rêves et mystères*, pp. 26-27. Voir aussi Allan W. Watts, *Myth and Ritual in Christianity* (Londres et New York, 1955) ; Olivier Clément, *Transfigurer le Temps* (Neuchâtel-Paris, 1959).

et il y aura un seul Jugement. Dès le début, le christianisme a subi des influences multiples et contradictoires, surtout celles du gnosticisme, du judaïsme et du « paganisme ». La réation de l'Église n'a pas été uniforme. Les Pères ont mené une lutte sans répit contre l'acosmisme et l'ésotérisme de la Gnose ; ils ont gardé pourtant les éléments gnostiques présents dans l'Évangile de Jean, dans les Épîtres pauliniennes et dans certains écrits primitifs. Mais, en dépit des persécutions, le gnosticisme n'a jamais été radicalement extirpé, et certains mythes gnostiques, plus ou moins camouflés, ont resurgi dans les littératures orales et écrites du Moyen Age.

Pour ce qui est du judaïsme, il a fourni à l'Église une méthode allégorique d'interprétation des Écritures, et surtout le modèle par excellence de l' « historicisation » des fêtes et des symboles de la religion cosmique. La « judaïsation » du christianisme primitif équivaut à son « historicisation », à la décision des premiers théologiens de rattacher l'histoire de la prédication de Jésus et de l'Église naissante à l'Histoire Sainte du peuple d'Israël. Mais le judaïsme avait « historicisé » un certain nombre de fêtes saisonnières et de symboles cosmiques, en les rapportant à des événements importants de l'histoire d'Israël (cf. la fête des Tabernacles, la Pâque, la fête des lumières de Hanouca, etc.). Les Pères de l'Église ont suivi la même voie : ils ont « christianisé » les symboles, les rites et les mythes asianiques et méditerranéens en les rattachant à une « histoire sainte ». Cette « histoire sainte » débordait naturellement les cadres de l'Ancien Testament et englobait maintenant le Nouveau Testament, la prédication des Apôtres et, plus tard, l'histoire des saints. Un certain nombre de symboles cosmiques — l'Eau, l'Arbre et la Vigne, la charrue et la hache, le navire, le char, etc. — avaient été déjà assimilés par le judaïsme[1], et ils ont pu être intégrés assez facilement dans la doctrine et la pratique de l'Église en recevant un sens sacramentaire ou ecclésiologique.

« CHRISTIANISME COSMIQUE »

Les vraies difficultés surgirent plus tard, lorsque les missionnaires chrétiens furent confrontés, surtout dans l'Europe centrale et occidentale, avec des religions populaires *vivantes*. Bon gré mal gré, on finit par « christianiser » les Figures divines et les mythes « païens » qui ne se laissaient pas extirper. Un grand nombre de dieux ou héros tueurs de dragons sont devenus des Saint Georges ; les dieux de l'orage se sont transformés en Saint Élie ; les innombrables déesses de la fertilité ont été assimilées à la Vierge ou aux saintes. On pourrait même dire qu'une partie de la religion populaire de l'Europe pré-chrétienne a survécu, camouflée ou transformée, dans les fêtes du calendrier et dans le culte des Saints. L'Église a dû lutter plus de dix siècles contre l'afflux continuel d'éléments « païens » (enten-

1. Cf. Erwin Goodenough, *Jewish Symbols in the Greco-Roman Period*, vol. VII-VIII : *Pagan Symbols in Judaism* (New York, 1958) ; Jean Daniélou, *Les symboles chrétiens primitifs* (Paris, 1961).

dez : appartenant à la religion cosmique) dans les pratiques et les légendes chrétiennes. Le résultat de cette lutte acharnée a été plutôt modeste, surtout dans le Sud et le Sud-Est de l'Europe, où le folklore et les pratiques religieuses des populations rurales présentaient encore, à la fin du xixe siècle, des Figures, des mythes et des rituels de la plus haute antiquité, voire de la protohistoire [1].

On a fait grief aux Églises catholique-romaine et orthodoxe d'avoir accepté un si grand nombre d'éléments païens. Ces critiques étaient-elles toujours justifiées ? D'une part, le « paganisme » n'a pu survivre que christianisé, ne fût-ce que superficiellement. Cette politique d'assimilation d'un « paganisme » qu'on ne pouvait pas anéantir ne constituait pas une innovation ; déjà l'Église primitive avait accepté et assimilé une grande partie du calendrier sacré pré-chrétien. D'autre part, les paysans, de par leur propre mode d'exister dans le Cosmos, n'étaient pas attirés par un christianisme « historique » et moral. L'expérience religieuse spécifique des populations rurales était nourrie par ce qu'on pourrait appeler un « christianisme cosmique ». Les paysans de l'Europe comprenaient le christianisme comme une liturgie cosmique. Le mystère christologique engageait également la destinée du Cosmos. « Toute la Nature soupire dans l'attente de la Résurrection » : c'est un motif central aussi bien de la liturgie pascale que

1. Leopold Schmidt a montré que le folklore agricole de l'Europe centrale contient des éléments mythologiques et rituels disparus dans la mythologie grecque classique déjà depuis les temps d'Homère et d'Hésiode ; cf. L. Schmidt, *Gestaltheiligkeit im bäuerlichen Arbeitsmythos* (Vienne, 1952), spécialement pp. 136 sq.

du folklore religieux de la chrétienté orientale. La solidarité mystique avec les rythmes cosmiques, violemment attaquée par les Prophètes de l'Ancien Testament et à peine tolérée par l'Église, est au cœur de la vie religieuse des populations rurales, surtout de l'Europe du Sud-Est. Pour toute cette partie de la chrétienté, la « Nature » n'est pas le monde du péché, mais l'œuvre de Dieu. Après l'Incarnation, le Monde a été rétabli dans sa gloire première ; c'est pour cette raison que le Christ et l'Église ont été chargés de tant de symboles cosmiques. Dans le folklore religieux du Sud-Est européen, les sacrements sanctifient également la Nature.

Pour les paysans de l'Europe Orientale, cette attitude, loin d'impliquer une « paganisation » du christianisme, était, au contraire, une « christianisation » de la religion de leurs ancêtres. Lorsqu'on écrira l'histoire de cette « théologie populaire », telle qu'elle se laisse saisir surtout dans les fêtes saisonnières et les folklores religieux, on se rendra compte que le « christianisme cosmique » n'est pas une nouvelle forme de paganisme, ni un syncrétisme paganochrétien. Il est une création religieuse originale, dans laquelle l'eschatologie et la sotériologie sont affectées de dimensions cosmiques ; qui plus est, le Christ, sans cesser d'être le Pantocrator, descend sur Terre et rend visite aux paysans, comme le faisait, dans les mythes des populations archaïques, l'Être Suprême avant de se transformer en *deus otiosus* ; ce Christ n'est pas « historique », puisque la conscience populaire ne s'intéresse pas à la chronologie ni à l'exactitude des événements et à l'authen-

ticité des personnages historiques. Gardons-
nous d'en conclure que, pour les populations
rurales, le Christ n'est qu'un « dieu » hérité
des anciens polythéismes. Il n'y a pas contra-
diction entre l'image du Christ des Évangiles
et de l'Église et celle du folklore religieux : la
Nativité, l'enseignement de Jésus et ses miracles, la crucifixion et la résurrection constituent les thèmes essentiels de ce christianisme
populaire. D'autre part, c'est un *esprit chrétien*,
et non « païen », qui imprègne toutes ces créations folkloriques : tout tourne autour du salut
de l'homme par le Christ ; de la foi, de l'espérance et de la charité ; d'un Monde qui est « bon »,
parce qu'il a été créé par Dieu le Père et a été
racheté par le Fils ; d'une existence humaine
qui ne se répétera pas et qui n'est pas dépourvue
de signification ; l'homme est libre de choisir
le bien ou le mal, mais il ne sera pas jugé uniquement d'après ce choix.

Nous n'avons pas à présenter ici les grandes
lignes de cette « théologie populaire ». Mais il
faut bien constater que le christianisme cosmique des populations rurales est dominé par
la nostalgie d'une Nature sanctifiée par la présence de Jésus. Nostalgie du Paradis, désir
de retrouver une Nature transfigurée et invul-
nérable, à l'abri des bouleversements consé-
cutifs aux guerres, aux dévastations et aux
conquêtes. C'est aussi l'expression de l'« idéal »
des sociétés agricoles, continuellement terro-
risées par des hordes guerrières allogènes et
exploitées par les différentes classes de « maîtres » plus ou moins autochtones. C'est une
révolte passive contre la tragédie et l'injustice
de l'Histoire, en somme, contre le fait que le

mal ne se révèle plus uniquement comme décision individuelle, mais surtout comme une
structure trans-personnelle du monde historique.

Bref, pour revenir à notre propos, ce christianisme populaire a manifestement prolongé
jusqu'à nos jours certaines catégories de la pensée mythique.

MYTHOLOGIE ESCHATOLOGIQUE DU MOYEN AGE

Au moyen âge nous assistons à un sursaut
de la pensée mythique. Toutes les classes sociales se réclament de traditions mythologiques
propres. La chevalerie, les métiers, les clercs,
la paysannerie adoptent un « mythe d'origine »
de leur condition ou de leur vocation, et s'efforcent d'imiter un modèle exemplaire. L'origine
de ces mythologies est variée. Le cycle arthu-
rien et le thème du Graal intègrent, sous un
vernis chrétien, nombre de croyances celtiques,
surtout en relation avec l'Autre Monde. Les
chevaliers veulent rivaliser avec Lancelot ou
Parsifal. Les trouvères élaborent toute une
mythologie de la Femme et de l'Amour,
au moyen d'éléments chrétiens, mais en
dépassant ou contredisant les doctrines de
l'Église.

Certains mouvements historiques du moyen
âge illustrent d'une manière particulièrement
frappante les manifestations les plus typiques
de la pensée mythique. Nous pensons aux exal-
tations millénaristes et aux mythes eschatologiques qui se font jour dans les Croisades, dans

les mouvements d'un Tanchelm et Eudes de l'Étoile, dans l'élévation de Frédéric II au rang de Messie, dans tant d'autres phénomènes collectifs messianiques, utopiques et prérévolutionnaires, brillamment étudiés par Norman Cohn dans son livre *The Pursuit of the Millenium*. Pour nous arrêter un instant sur l'auréole mythologique de Frédéric II : le chancelier impérial, Pietro della Vigna, présente son maître comme un Sauveur cosmique : le Monde entier attendait un tel cosmocrator, et maintenant les flammes du mal sont éteintes, les épées ont été transformées en charrues, la paix, la justice et la sécurité sont solidement installées. « Bien plus encore, Frédéric possède le pouvoir incomparable de lier ensemble les éléments de l'univers, réconciliant chaud et froid, solide et liquide, tous les contraires entre eux. Il est un messie cosmique que la terre, la mer et l'air adorent à l'unisson. Son avènement est l'œuvre d'une providence divine ; car le monde allait sombrer, le jugement dernier était imminent, lorsque Dieu, dans sa grande miséricorde, nous a accordé un sursis et a envoyé ce souverain pur pour instaurer un âge de paix et d'ordre et d'harmonie aux Derniers Jours. Que ces expressions reflètent fidèlement la pensée de Frédéric lui-même, on le voit par la lettre qu'il adressa à son village natal, Jesi, près d'Ancône ; il y montre clairement qu'il considère sa naissance comme un événement ayant pour l'humanité la même portée que la naissance du Christ et Jesi comme un nouveau Bethléem. Frédéric est sans doute le seul des monarques du moyen âge à s'être cru divin, en vertu non de sa charge, mais de sa nature même, ni plus ni moins qu'un Dieu incarné [1]. »

La mythologie de Frédéric II ne disparut pas avec sa mort, pour le simple motif qu'on ne pouvait pas admettre cette mort : l'Empereur, croyait-on, s'était retiré dans un pays lointain ou, selon la légende la plus populaire, il dormait sous le Mont Etna. Mais un jour il se réveillerait et viendrait revendiquer son trône. Et de fait, trente-quatre ans après sa mort, un imposteur réussit à se faire passer, dans la ville de Neuss, pour Frédéric II *redivivus*. Même après l'exécution de ce pseudo-Frédéric à Wetzlar, le mythe ne perdit pas sa virulence. Au xve siècle on croyait encore que Frédéric était vivant et qu'il vivrait jusqu'à la fin du Monde, qu'il était, en somme, le seul Empereur légitime et qu'il n'y en aurait pas d'autre.

Le mythe de Frédéric II n'est qu'un exemple illustre d'un phénomène beaucoup plus diffus et persistant. Les prestiges religieux et la fonction eschatologique des rois se sont maintenus en Europe jusqu'au xviie siècle. La sécularisation du concept de Roi eschatologique n'a pas aboli l'espérance, profondément ancrée dans l'âme collective, d'une rénovation universelle opérée par le Héros exemplaire sous une de ses nouvelles formes : le Réformateur, le Révolutionnaire, le Martyr (au nom de la liberté des peuples), le Chef du Parti. Le rôle et la mission des Fondateurs et des Chefs des mouvements totalitaires modernes comportent un nombre considérable d'éléments eschatologiques et soté-

1. Norman Cohn, *The Pursuit of the Millenium*, p. 104. Sur les prétentions messianiques de Frédéric II, cf. E. Kantorowitz, *Frederick the Second*, 1194-1250 (trad. anglaise, Londres, 1931), pp. 450 sq., 511 sq. ; N. Cohn, pp. 103 sq.

riologiques. La pensée mythique peut dépasser et rejeter certaines de ses expressions antérieures, rendues désuètes par l'Histoire, s'adapter aux nouvelles conditions sociales et aux nouvelles vogues culturelles, mais elle ne se laisse pas extirper.

Quant au phénomène de la Croisade, Alphonse Dupront a bien mis en lumière ses structures mythiques et son orientation eschatologique. « Au centre d'une conscience de croisade, chez les clercs comme chez les non-clercs, il y a le devoir de libérer Jérusalem (...). Ce qui s'exprime le plus puissamment dans la croisade, c'est la double plénitude d'un accomplissement des temps et d'un accomplissement de l'espace humain. En ce sens, pour l'espace, que le signe de l'accomplissement des temps est la réunion des nations autour de la ville sacrée et mère, centre du monde, Jérusalem [1]. »

Qu'il s'agisse d'un phénomène spirituel collectif, d'une poussée irrationnelle, on en a la preuve, entre autres, dans les croisades d'enfants qui surgissent soudainement, en 1212, en France du Nord et en Allemagne. La spontanéité de ces mouvements semble hors de doute : « nul ne les excitant ni de l'étranger, ni du pays » affirme un témoin contemporain [2]. Des enfants « caractérisés à la fois — ce sont les traits de l'extraordinaire — par leur extrême jeunesse et par leur pauvreté, de petits pâtres surtout [3] »,

---

1. Alphonse Dupront, « Croisades et eschatologie » (dans : *Umanesimo e esoterismo*. Atti del V° Convegno Internazionale di Studi Umanistici, a cura di Enrico Castelli, Padoue, 1960, pp. 175-198), p. 177.

2. Paul Alphandéry et Alphonse Dupront, *La Chrétienté et l'idée de Croisade*, II (Paris, 1959), p. 118.

3. *Ibid.*, p. 119.

se mettent en marche et les pauvres se joignent à eux. Ils sont peut-être 30 000 qui avancent processionnellement, en chantant. Quand on leur demandait où ils allaient, ils répondaient : « A Dieu. » Selon un chroniqueur contemporain, « leur intention était de passer la mer, et, ce que les puissants et les rois n'avaient fait, reprendre le sépulcre du Christ [1] ». Le clergé s'était opposé à cette levée d'enfants. La croisade française s'achève dans la catastrophe : arrivés à Marseille, ils s'embarquent sur sept grands vaisseaux, mais deux de ces navires échouent à la suite d'une tempête au large de la Sardaigne, et tous les passagers sont engloutis. Quant aux cinq autres navires, les deux armateurs traîtres les amenèrent jusqu'à Alexandrie, où ils vendirent les enfants aux chefs sarrasins et aux marchands d'esclaves.

La croisade « allemande » présente le même canevas. Une chronique contemporaine raconte qu'en 1212 « apparut un enfant du nom de Nicolas, qui rassembla autour de lui une multitude d'enfants et de femmes. Il affirmait que, sur l'ordre d'un ange, il devait se rendre avec eux à Jérusalem pour libérer la croix du Seigneur et que la mer, comme autrefois au peuple israélite, leur livrerait passage à pied sec [2] ». D'ailleurs, ils n'étaient pas armés. Partis de la région de Cologne, ils descendirent le Rhin, traversèrent les Alpes et atteignirent l'Italie du Nord. Certains arrivèrent à Gênes et Pise, mais ils furent refoulés. Ceux qui réussirent à

1. Reinier, cité par P. Alphandéry et A. Dupront, *op. cit.*, p. 120.
2. *Annales Scheftlariensis*, texte cité par Alphandéry-Dupront, p. 123.

atteindre Rome furent obligés de reconnaître qu'aucune autorité ne les soutenait. Le Pape désapprouvait leur projet et les jeunes croisés durent rebrousser chemin. Comme s'exprime le chroniqueur dans les *Annales Carbacenses*, « ils revinrent affamés et pieds nus, un à un et en silence ». Personne ne les aidait. Un autre témoin écrit : « Une grande partie d'entre eux gisaient morts de faim dans les villages, sur les places publiques, et nul ne les ensevelissait [1]. »

A juste titre, P. Alphandéry et A. Dupront ont reconnu dans ces mouvements l'élection de l'enfant dans la piété populaire. C'est à la fois le mythe des Innocents, l'exaltation de l'enfant par Jésus et la réaction populaire contre la Croisade des Barons, la même réaction qui s'était fait jour dans les légendes cristallisées autour des « Tafurs » des premières croisades [2]. « La reconquête des Lieux Saints ne peut plus être attendue que du miracle — et le miracle ne peut plus se produire qu'en faveur des plus purs, des enfants et des pauvres [3]. »

SURVIVANCES DU MYTHE ESCHATOLOGIQUE

L'échec des Croisades n'a pas anéanti les espérances eschatologiques. Dans son *De Monarchia Hispanica* (1600), Tommaso Campanella suppliait le roi d'Espagne de financer une nouvelle Croisade contre l'Empire Turc et fonder, après la victoire, la Monarchie Universelle.

1. Textes cités par Alphandéry-Dupront, p. 127.
2. Sur les « Tafurs », cf. aussi Norman Cohn, *The Pursuit of the Millenium*, pp. 45 sq.
3. P. Alphandéry et A. Dupront, *op. cit.*, p. 145.

Trente-huit ans plus tard, dans l'*Ecloga* destinée à Louis XIII et à Anne d'Autriche pour
célébrer la naissance du futur Louis XIV,
T. Campanella prophétise à la fois la *recuperatio
Terrae Sanctae* et la *renovatio saeculi*. Le jeune
roi va conquérir toute la Terre en mille jours,
terrassant les monstres, c'est-à-dire soumettant
les royaumes des infidèles et libérant la Grèce.
Mahomet sera rejeté hors de l'Europe ; l'Égypte
et l'Éthiopie redeviendront chrétiennes, les
Tartares, les Persans, les Chinois et l'Orient
entier se convertiront. Tous les peuples forme-
ront une seule chrétienté et cet Univers régénéré
aura un seul centre : Jérusalem. « L'Église,
écrit Campanella, a commencé à Jérusalem,
et c'est à Jérusalem qu'elle retournera, après
avoir fait le tour du monde [1]. » Dans son traité
La prima e la seconda resurrezione, Tommaso
Campanella ne considère plus, comme saint
Bernard, la conquête de Jérusalem comme une
étape vers la Jérusalem céleste, mais comme
l'instauration du règne messianique [2].

Inutile de multiplier les exemples. Mais il
convient de souligner la continuité entre les
conceptions eschatologiques médiévales et les
différentes « philosophies de l'Histoire » de
l'Illuminisme et du xixᵉ siècle. Depuis une tren-
taine d'années on commence à mesurer le rôle
exceptionnel des « prophéties » de Joachim de
Fiore dans la naissance et la structure de
tous ces mouvements messianiques, surgis au
xiiiᵉ siècle et se prolongeant, sous des formes plus

1. Note de Campanella au vers 207 de son *Ecloga*, citée par
A. Dupront, « Croisades et eschatologie », p. 187.
2. Édition critique de Romano Amerio (Rome, 1955), p. 72;
A. Dupront, *op. cit.*, 189.

ou moins sécularisées, jusqu'au xixe siècle [1].
L'idée centrale de Joachim, l'imminente entrée
du monde dans la troisième époque de l'Histoire, qui sera l'époque de la liberté, puisqu'elle
se réalisera sous le signe du Saint-Esprit, a eu
un retentissement considérable. Cette idée
contredisait la théologie de l'Histoire acceptée
par l'Église depuis saint Augustin. Selon la
doctrine courante, la perfection ayant été
atteinte sur la Terre par l'Église, il n'y a plus
place pour une *renovatio* dans l'avenir. Le seul
événement décisif sera la deuxième venue du
Christ et le Jugement dernier. Joachim de Fiore
réintroduit dans le christianisme le mythe
archaïque de la régénération universelle. Certes,
il ne s'agit plus d'une régénération périodique
et indéfiniment répétable. Il n'en est pas moins
vrai que la troisième époque est conçue par
Joachim comme le règne de la Liberté, sous la
direction du Saint-Esprit, ce qui implique un
dépassement du christianisme historique, et,
comme dernière conséquence, l'abolition des
règles et des institutions existantes.

Il n'y a pas lieu de présenter ici les différents
mouvements eschatologiques d'inspiration joachimite. Mais il vaut la peine d'évoquer certains
prolongements inattendus des idées du pro-

---

1. C'est le grand mérite d'Ernesto Buonaiuti d'avoir inauguré
le renouveau des études gioacchinites avec son édition du *Trac-
tatus super quatuor Evangelia* (Rome, 1930) et son volume *Gioc-
chino da Fiore* (Rome, 1931). Cf. aussi ses deux importants articles : « Prolegomeni alla storia di Gioacchino da Fiore » (*Ricerche
Religiose*, IV, 1928) et « Il misticismo di Gioacchino da Fiore »
(*Ibid.*, V, 1929), reproduits dans l'ouvrage posthume *Saggi di Storia
del Cristianesimo* (Vicenza, 1957), pp. 237-382. Voir aussi Ernst
Benz, « Die Kategorien der religiösen Geschichtsdeutung Joa-
chims » (*Zeitschrift für Kirchengeschichte*, 1931, pp. 24-111) et
Ecclesia Spiritualis (Stuttgart, 1934).

phète calabrais. C'est ainsi que Lessing développe, dans son *Éducation de la race humaine*, la thèse de la révélation continuelle et progressive s'achevant dans une troisième époque. Lessing concevait, il est vrai, ce troisième âge comme le triomphe de la raison au moyen de l'éducation ; mais ce n'était pas moins là, dans son opinion, l'accomplissement de la révélation chrétienne, et il se réfère avec sympathie et admiration à « certains enthousiastes des XIIIe et XIVe siècles », dont la seule erreur fut de proclamer trop tôt le « nouveau évangile éternel [1] ». La résonance des idées de Lessing fut considérable, et, à travers les Saint-Simoniens, il a probablement influencé Auguste Comte et sa doctrine des trois états. Fichte, Hegel, Schelling ont été marqués, bien que pour des raisons différentes, par le mythe joachimite d'une troisième époque, imminente, qui renouvellera et complétera l'Histoire. Par leur canal, ce mythe eschatologique a influencé quelques écrivains russes, surtout Krasinsky, avec son *Troisième royaume de l'Esprit* et Merejkowsky, l'auteur du *Christianisme du troisième Testament* [2]. Certes, nous avons affaire désormais à des idéologies et à des fantaisies semi-philosophiques, et non plus à l'attente eschatologique du règne du Saint-Esprit. Mais le mythe de la rénovation universelle, à une échéance plus ou moins proche, est encore discernable dans toutes ces théories et fantaisies.

1. Cf. Karl Löwith, *Meaning in History*, p. 208.
2. Karl Löwith, *op. cit.*, p. 210, rappelle que ce dernier ouvrage a inspiré *Das dritte Reich* de l'auteur germano-russe H. Moeller van der Bruck. Cf. aussi Jakob Taubes, *Abendländische Eschatologien* (Berne, 1947), qui compare la philosophie de l'histoire de Hegel à celle de Gioacchino da Fiore.

Certains « comportements mythiques » survivent encore sous nos yeux. Non qu'il s'agisse de « survivances » d'une mentalité archaïque. Mais certains aspects et fonctions de la pensée mythique sont constitutifs de l'être humain. Nous avons discuté, à une autre occasion, quelques « mythes du monde moderne [1] ». Le problème est complexe et attachant ; on ne prétend pas faire tenir en quelques pages la matière d'un volume. Nous nous limiterons à un aperçu de quelques aspects des « mythologies modernes ».

On a vu l'importance, dans les sociétés archaïques, du « retour aux origines », effectué d'ailleurs par des voies multiples. Ce prestige de l'« origine » a survécu dans les sociétés européennes. Lorsqu'on y entreprenait une innovation, celle-ci était conçue, ou présentée, comme un retour à l'origine. La Réforme a inauguré le retour à la Bible et elle ambitionnait de revivre l'expérience de l'Église primitive, voire des premières communautés chrétiennes. La Révolution française s'est donné comme paradigmes les Romains et les Spartiates. Les inspirateurs et les chefs de la première révolution européenne radicale et victorieuse, qui marquait plus que la fin d'un régime, la fin d'un cycle historique, se considéraient les restaurateurs des anciennes vertus exaltées par Tite-Live et Plutarque.

1. Cf. Eliade, *Mythes, rêves et mystères*, pp. 16-36.

A l'aube du monde moderne, l' « origine » jouissait d'un prestige presque magique. Avoir une « origine » bien établie, cela signifiait, en somme, se prévaloir d'une origine noble. « Nous tirons notre origine de Rome! », répétaient avec orgueil les intellectuels roumains du XVIIIe et du XIXe siècle. La conscience de la descendance latine s'accompagnait, chez eux, d'une sorte de participation mystique à la grandeur de Rome. L'intelligentsia hongroise, elle, trouvait la justification de l'antiquité, de la noblesse et de la mission historique des Magyars dans le mythe d'origine de Hunor et Magor et dans la *saga* héroïque d'Arpad. Au début du XIXe siècle, le mirage de l' « origine noble » incite, dans toute l'Europe centrale et sud-orientale, une véritable passion pour l'histoire nationale, surtout pour les phases les plus anciennes de cette histoire. « Un peuple sans histoire (lisez : sans « documents historiques » ou sans historiographie) est comme s'il n'existait pas! » On reconnaît cette anxiété dans toutes les historiographies nationales de l'Europe centrale et orientale. Une telle passion était, certes, la conséquence du réveil des nationalités dans cette partie de l'Europe, et elle se transforma très vite en un instrument de propagande et de lutte politique. Mais le désir de prouver l'« origine noble » et l' « antiquité » de son peuple dominait à tel point le Sud-Est européen que, sauf quelques exceptions, toutes les historiographies respectives se sont confinées dans l'histoire nationale et ont abouti finalement à un provincialisme culturel.

La passion pour l' « origine noble » explique également le mythe raciste de l' « aryanisme », périodiquement revalorisé en Occident, surtout en Allemagne. Les contextes socio-politiques de ce mythe sont trop connus pour qu'on y insiste. Ce qui nous intéresse ici, c'est que l' « aryen » représentait à la fois l'ancêtre « primordial » et le « héros » noble, chargé de toutes les vertus qui hantaient encore ceux qui n'arrivaient pas à se réconcilier avec l'idéal des sociétés issues des révolutions de 1789 et 1848. L' « aryen » était le modèle exemplaire à imiter pour récupérer la « pureté » raciale, la force physique, la noblesse, la morale héroïque des « commencements » glorieux et créateurs.

Quant au communisme marxiste, on n'a pas manqué de mettre en relief ses structures eschatologiques et millénaristes. Nous avons remarqué naguère que Marx avait repris un des grands mythes eschatologiques du monde asiano-méditerranéen, à savoir : le rôle rédempteur du Juste (de nos jours, le prolétariat), dont les souffrances sont appelées à changer le statut ontologique du monde. « En effet, la société sans classes de Marx et la disparition conséquente des tensions historiques trouvent leur plus exact précédent dans le mythe de l'Age d'Or qui, suivant des traditions multiples, caractérise le commencement et la fin de l'Histoire. Marx a enrichi ce mythe vénérable de toute une idéologie messianique judéo-chrétienne : d'une part, le rôle prophétique et la fonction sotériologique qu'il accorde au prolétariat ; d'autre part, la lutte finale entre le Bien et le Mal, qu'on peut facilement rapprocher du conflit apocalyptique entre Christ et Antéchrist, suivi de la victoire définitive du premier. Il est même significatif que Marx reprend à son compte l'espoir eschatologique judéo-chrétien d'*une fin absolue de l'Histoire* ; il se sépare en cela des autres philosophes historicistes (par exemple, Croce ou Ortega y Gasset), pour qui les tensions de l'histoire sont consubstantielles à la condition humaine et, partant, ne peuvent jamais être complètement abolies [1]».

MYTHES ET MASS-MEDIA

Des recherches récentes ont mis en lumière les structures mythiques des images et des comportements imposés sur les collectivités par la voie des *mass-media*. Ce phénomène se constate surtout aux États-Unis [2]. Les personnages des « *comic strips* » (bandes dessinées) présentent la version moderne des héros mythologiques ou folkloriques. Ils incarnent à tel point l'idéal d'une grande partie de la société que les éventuelles retouches apportées à leur conduite ou, pis encore, leur mort, provoquent de véritables crises chez les lecteurs ; ceux-ci réagissent violemment et protestent, en envoyant des télégrammes par milliers aux auteurs des *comic strips* et aux directeurs des journaux. Un personnage fantastique, Superman, est devenu extrêmement populaire grâce surtout à sa double identité : descendu d'une planète

1. *Mythes, rêves et mystères*, pp. 20-21.
2. Cf. p. ex. Coulton Waugh, *The Comics* (New York, 1947) ; Stephen Becker, *Comic Art in America* (New York, 1960) ; Umberto Eco, « Il Mito di Superman » (in *Demitizzazione e Imagine*, a cura di Enrico Castelli, Padoue, 1962, pp. 131-148).

disparue à la suite d'une catastrophe, et doué de pouvoirs prodigieux, Superman vit sur la Terre sous les apparences modestes d'un journaliste, Clark Kent ; il se montre timide, effacé, dominé par sa collègue, Lois Lane. Ce camouflage humiliant d'un héros dont les pouvoirs sont littéralement illimités reprend un thème mythique bien connu. Si l'on va au fond des choses, le mythe du Superman satisfait les nostalgies secrètes de l'homme moderne qui, en se sachant déchu et limité, rêve de se révéler un jour un « personnage exceptionnel », un « héros ».

Le roman policier se prêterait à des remarques analogues : d'une part, on y assiste à la lutte exemplaire entre le Bien et le Mal, entre le Héros (= le détective) et le criminel (incarnation moderne du Démon). D'autre part, par un processus inconscient de projection et d'identification, le lecteur participe au mystère et au drame, il a le sentiment d'être personnellement entraîné dans une action paradigmatique, c'est-à-dire dangereuse et « héroïque ».

On a également démontré la mythisation des personnalités au moyen des *mass-media*, leur transformation en image exemplaire. « Lloyd Warner nous raconte, dans la 1re section de son livre, *The Living and the Dead*, la création d'un personnage de ce genre. Biggy Muldoon, un politicien de la Yankee City, était devenu un héros national en raison de son opposition pittoresque à l'aristocratie de Hill Street, si bien que la presse et la radio lui fabriquèrent le portrait populaire de demi-dieu. On le montrait comme un croisé du peuple lancé à l'assaut de la richesse. Puis, le public s'étant fatigué de cette image, les *mass-media* transformèrent complaisamment Biggy en gredin, un politicien corrompu, exploitant à son profit la misère publique. Warner montre que le vrai Biggy différait considérablement de l'une et l'autre image, mais le fait est qu'il fut contraint de modifier son comportement pour se conformer à une image et chasser l'autre [1]. »

On découvrirait des comportements mythiques dans l'obsession du « succès », si caractéristique de la société moderne, et qui traduit le désir obscur de trancender les limites de la condition humaine ; dans l'exode vers la « Suburbia », où l'on peut déchiffrer la nostalgie de la « perfection primordiale » ; dans le déchaînement affectif de ce qu'on a appelé le « culte de la voiture sacrée ». Comme le remarque Andrew Greeley, « il suffit de visiter le salon annuel de l'automobile pour y reconnaître une manifestation religieuse profondément ritualisée. Les couleurs, les lumières, la musique, la révérence des adorateurs, la présence des prêtresses du temple (les mannequins), la pompe et le luxe, le gaspillage d'argent, la foule compacte — tout cela constituerait dans une autre culture un office authentiquement liturgique (...). Le culte de la voiture sacrée a ses fidèles et ses initiés. Le gnostique n'attendait pas avec plus d'impatience la révélation oraculaire que l'adorateur de l'automobile les premières rumeurs sur les nouveaux modèles. C'est à ce moment du cycle saisonnier annuel que les

1. Andrew Greeley, « Myths, Symbols and Rituals in the Modern World » (*The Critic*, déc. 1961, jan. 1962, vol. XX, n° 3, pp. 18-25), p. 19.

pontifes du culte — les marchands de voitures — prennent une importance nouvelle en même temps qu'une foule anxieuse attend impatiemment l'avènement d'une nouvelle forme de salut [1]. »

On a moins insisté sur ce qu'on appellerait les mythes de l'élite, ceux particulièrement qui cristallisent autour de la création artistique et de son retentissement culturel et social. Précisons aussitôt que ces mythes ont réussi à s' « imposer au-delà des cercles fermés des initiés, grâce surtout au complexe d'infériorité du public et des instances artistiques officielles. L'incompréhension agressive du public, des critiques et des représentants officiels de l'art envers un Rimbaud ou un Van Gogh, les conséquences désastreuses qu'eut, surtout pour les collectionneurs et les musées, l'indifférence à l'égard des mouvements novateurs, de l'impressionnisme au cubisme et au surréalisme, ont constitué de dures leçons aussi bien pour les critiques et le public que pour les marchands de tableaux, les administrations des musées et les collectionneurs. Aujourd'hui, leur seule terreur est de ne pas être suffisamment avancés, de ne pas deviner à temps le génie dans une œuvre à première vue inintelligible. Jamais peut-être dans l'histoire l'artiste n'a été plus certain qu'aujourd'hui que, plus il est audacieux, iconoclaste, absurde, inaccessible, plus il sera reconnu, loué, gâté, idolâtré. Dans certains pays on en est arrivé à un académisme à rebours, l'académisme de l' « avant-garde » ; à tel point que toute expérience artistique ne

1. *Ibid.*, p. 24.

tenant pas compte de ce nouveau conformisme risque d'être étouffée ou de passer inaperçue.

Le mythe de l'artiste damné, qui avait obsédé le xixe siècle, est aujourd'hui périmé. Aux États-Unis surtout, mais aussi dans l'Europe occidentale, l'outrance et la provocation ont cessé depuis longtemps de desservir l'artiste. On lui demande plutôt de se conformer à son image mythique, d'être étrange, irréductible, et de « faire du nouveau ». C'est, dans l'art, le triomphe absolu de la révolution permanente. On ne peut même plus dire que tout est permis : toute innovation est décrétée d'avance géniale, et égalée aux innovations d'un Van Gogh ou d'un Picasso, s'agît-il d'une affiche lacérée ou d'une boîte à sardines signée par l'artiste.

La signification de ce phénomène culturel est d'autant plus considérable que, peut-être pour la première fois dans l'histoire de l'art, il n'existe plus de tension entre artistes, critiques, collectionneurs et public. Tous sont d'accord, toujours, et bien avant qu'une nouvelle œuvre soit créée ou qu'un artiste inconnu soit découvert. Une seule chose compte : ne pas risquer d'avoir à avouer un jour qu'on n'a pas compris l'importance d'une nouvelle expérience artistique.

Sur cette mythologie des élites modernes, nous nous limiterons à quelques observations. Signalons d'abord la fonction rédemptrice de la « difficulté », telle qu'on la rencontre surtout dans les œuvres d'art moderne. Si l'élite se passionne pour *Finnegan's Wake*, pour la musique atonale ou pour le tachisme, c'est aussi parce que de telles œuvres représentent des mondes clos, des univers hermétiques où l'on ne pénètre qu'au prix d'énormes difficultés homologables aux épreuves initiatiques des sociétés archaïques et traditionnelles. On a, d'une part, le sentiment d'une « initiation », initiation presque disparue du monde moderne ; d'autre part, on affiche, aux yeux des « autres », de la « masse », l'appartenance à une minorité secrète ; non plus à une « aristocratie » (les élites modernes s'orientent vers la gauche), mais à une gnose, qui a le mérite d'être à la fois spirituelle et séculaire, en s'opposant aussi bien aux valeurs officielles qu'aux Églises traditionnelles. Par le culte de l'originalité extravagante, de la difficulté, de l'incompréhensibilité, les élites marquent leur détachement de l'univers banal de leurs parents, tout en s'insurgeant contre certaines philosophies contemporaines du désespoir.

Au fond, la fascination par la difficulté, voire l'incompréhensibilité des œuvres d'art, trahit le désir de découvrir un nouveau sens, secret, inconnu jusqu'alors, du Monde et de l'existence humaine. On rêve d'être « initié », d'arriver à percer le sens occulte de toutes ces destructions de langages artistiques, de toutes ces expériences « originales » qui semblent, à première vue, n'avoir plus rien de commun avec l'art. Les affiches déchirées, les toiles vides, brûlées et crevées au couteau, les « objets d'art » qui explosent pendant le vernissage, les spectacles improvisés où l'on tire au sort les répliques des acteurs, tout ceci *doit avoir une signification*, de même que certains mots incompréhensibles de *Finnegan's Wake* se révèlent, pour les initiés, chargés de multiples valeurs et d'une étrange beauté lorsqu'on découvre qu'ils dérivent de vocables néo-grecs ou svahili, défigurés par des consonnes aberrantes et enrichis par des allusions secrètes à des calembours possibles lorsqu'on les prononce rapidement à haute voix.

Certes, toutes les expériences révolutionnaires authentiques de l'art moderne reflètent certains aspects de la crise spirituelle ou tout simplement de la crise de la connaissance et de la création artistique. Mais ce qui nous intéresse ici, c'est que les « élites » trouvent dans l'extravagance et l'inintelligibilité des œuvres modernes la possibilité d'une gnose initiatique. C'est un « nouveau monde » qu'on est en train de reconstruire à partir de ruines et d'énigmes, un monde presque privé, qu'on voudrait pour soi et pour quelques rares initiés. Mais le prestige de la difficulté et de l'incompréhensibilité est tel que, très vite, le « public » est conquis à son tour et proclame son adhésion totale aux découvertes de l'élite.

La destruction des langages artistiques a été accomplie par le cubisme, le dadaïsme et le surréalisme, par le dodécaphonisme et la « musique concrète », par James Joyce, Becket et Ionesco. Il n'y a plus que les épigones à s'acharner à démolir ce qui a été déjà ruiné. Comme nous le rappelions dans un chapitre précédent, les créateurs authentiques n'acceptent pas de s'installer dans les décombres. Tout nous porte à croire que la réduction des « Univers artistiques » à l'état primordial de *materia prima* n'est qu'un moment dans un processus plus complexe ; comme dans les conceptions cycliques des sociétés archaïques et traditionnelles, le « chaos », la régression de toutes les formes dans l'indistinct de la *materia prima*, sont suivis par une nouvelle création, homologable à une cosmogonie.

La crise des arts modernes n'intéresse que subsidiairement notre propos. Il faut pourtant nous arrêter un instant sur la situation et le rôle de la littérature, surtout de la littérature épique, qui n'est pas sans rapport avec la mythologie et les comportements mythiques. On sait que le récit épique et le roman, comme les autres genres littéraires, prolongent, sur un autre plan et à d'autres fins, la narration mythologique. Dans les deux cas, il s'agit de raconter une histoire significative, de relater une série d'événements dramatiques qui ont eu lieu dans un passé plus ou moins fabuleux. Inutile de rappeler le processus long et complexe qui a transformé une « matière mythologique » dans un « sujet » de narration épique. Ce qui est à souligner, c'est que la prose narrative, le roman spécialement, a pris, dans les sociétés modernes, la place occupée par la récitation des mythes et des contes dans les sociétés traditionnelles et populaires. Mieux, il est possible de dégager la structure « mythique » de certains romans modernes, on peut démontrer la survivance littéraire des grands thèmes et des personnages mythologiques. (Ceci se vérifie surtout pour le thème initiatique, le thème des épreuves du Héros-Rédempteur et ses combats contre les monstres, les mythologies de la Femme et de la Richesse.) Dans cette perspective, on pourrait donc dire que la passion moderne pour les romans trahit le désir d'entendre le plus grand nombre possible d' « histoires mythologiques » désacralisées ou simplement camouflées sous des formes « profanes ».

Autre fait significatif : le besoin de lire des « histoires » et des narrations qu'on pourrait appeler paradigmatiques, puisqu'elles se déroulent selon un modèle traditionnel. Quelle que soit la gravité de la crise actuelle du roman, il reste que le besoin de s'introduire dans des univers « étrangers » et de suivre les péripéties d'une « histoire » semble consubstantiel à la condition humaine et, par conséquent, irréductible. Il y a là une exigence difficile à définir, à la fois désir de communier avec les autres », les « inconnus », et de partager leurs drames et leurs espoirs, et besoin d'apprendre ce qui *a pu se passer*. On concevrait difficilement un être humain qui ne soit pas fasciné par le « récit », par la narration des événements significatifs, par ce qui est arrivé à des hommes pourvus de la « double réalité » des personnages littéraires (qui, à la fois, reflètent la réalité historique et psychologique des membres d'une société moderne et disposent de la puissance magique d'une création imaginaire).

Mais la « sortie du Temps » opérée par la lecture — particulièrement la lecture des romans — est ce qui rapproche le plus la fonction de la littérature de celle des mythologies. Le temps qu'on « vit » en lisant un roman n'est sans doute pas celui qu'on réintègre, dans une société traditionnelle, en écoutant un mythe. Mais, dans un cas comme dans l'autre, on « sort » du temps historique et personnel et on est plongé dans un temps fabuleux, trans-historique. Le lecteur est confronté à un temps étranger, imaginaire, dont les rythmes varient indéfiniment, car chaque récit a son propre temps, spécifique et exclusif. Le roman n'a pas accès au temps primordial des mythes, mais, dans la mesure où il raconte une histoire vraisemblable, le romancier utilise un temps *apparemment historique*, et pourtant condensé ou dilaté, un temps qui dispose donc de toutes les libertés des mondes imaginaires.

On devine dans la littérature, d'une manière plus forte encore que dans les autres arts, une révolte contre le temps historique, le désir d'accéder à d'autres rythmes temporels que celui dans lequel on est obligé de vivre et de travailler. On se demande si ce désir de transcender son propre temps, personnel et historique, et de plonger dans un temps « étranger », qu'il soit extatique ou imaginaire, sera jamais extirpé. Tant que subsiste ce désir, on peut dire que l'homme moderne garde encore au moins certains résidus d'un « comportement mythologique ». Les traces d'un tel comportement mythologique se décèlent aussi dans le désir de retrouver l'intensité avec laquelle on a vécu, ou connu, une chose *pour la première fois*; de récupérer le passé lointain, l'époque béatifique des « commencements ».

Comme il fallait s'y attendre, c'est toujours la même lutte contre le Temps, le même espoir de se délivrer du poids du « Temps mort », du Temps qui écrase et qui tue.

Les mythes et les contes de fées [1].

Jan de Vries vient de publier un petit livre
sur les contes de fées (Jan de Vries, *Betrach-
tungen zum Märchen*, besonders in seinem
Verhältnis zu Heldensage und Mythos, Hel-
sinki, 1954). Comme l'indique le titre, ses
réflexions portent surtout sur les rapports des
contes populaires avec la *saga* héroïque et le
mythe. Sujet immense, redoutable, auquel personne n'était mieux qualifié à se mesurer que
l'éminent germaniste et folkloriste hollandais.
Ce petit livre ne prétend pas épuiser en cent
quatre-vingts pages tous les aspects du problème. Il ne constitue d'aucune façon un manuel.
L'auteur a visé à dresser le bilan provisoire
d'un siècle de recherches, et surtout à indiquer
les perspectives nouvelles, ouvertes depuis
peu au spécialiste des contes populaires. On
sait que leur interprétation a pris récemment
un grand essor. D'une part, les folkloristes ont
mis à profit les progrès réalisés par l'ethno-

1. *La Nouvelle Revue Française*, mai 1956.

logie, l'histoire des religions, la psychologie des profondeurs. De l'autre, les spécialistes mêmes des contes populaires ont fait un effort sensible pour soumettre leurs recherches à une méthode plus rigoureuse ; témoin les pénétrantes études d'un André Jolles ou d'un Max Lüthi.

Jan de Vries s'est donné pour tâche de présenter tout ce mouvement avant d'exposer ses propres vues sur les rapports entre le mythe, la *saga* et le conte populaire. Le débat s'ouvre naturellement par l'examen de l' « école finlandaise ». Les mérites de celle-ci sont trop connus pour qu'on doive y revenir. Les savants scandinaves ont fourni un travail précis et considérable : ils ont enregistré et classifié toutes les variantes d'un conte, ils ont essayé de retracer les voies de leur diffusion. Mais ces recherches formelles et statistiques n'ont résolu aucun problème essentiel. L'école finlandaise a cru pouvoir arriver, par l'étude minutieuse des variantes, à la « forme primordiale » (*Urform*) d'un conte. Malheureusement, c'était une illusion : dans la plupart des cas, la *Urform* n'était qu'une des multiples « pré-formes » transmises jusqu'à nous. Cette fameuse « forme primordiale » — qui a obsédé toute une génération de chercheurs — ne jouissait que d'une existence hypothétique (J. de Vries, p. 20).

L'auteur s'occupe ensuite du folkloriste français Paul Saintyves et de sa théorie ritualiste. Le principal livre de Saintyves, *Les contes de Perrault et les récits parallèles* (1923), se lit encore avec intérêt et profit, malgré les lacunes de son information et ses confusions méthodologiques. Il faut en convenir : son choix ne fut pas heureux. Les contes de Perrault ne constituent pas toujours un dossier valable pour l'étude comparative. Le conte du « Chat botté », par exemple, n'est attesté ni en Scandinavie ni en Allemagne ; dans ce dernier pays, il apparaît assez tard et sous l'influence de Perrault. Nénamoins, Saintyves a eu le grand mérite de reconnaître dans les contes des motifs rituels survivant, aujourd'hui encore, dans les institutions religieuses des peuples primitifs. En revanche, il s'est franchement trompé en découvrant dans les contes le « texte » qui accompagnait le rite (de Vries, p. 30). Dans un livre qui malheureusement a échappé à l'attention de Jan de Vries, *Les Racines historiques des contes merveilleux* (*Istoritcheskie korni volshenboi skaski*, Leningrad, 1946), le folkloriste soviétique V. Ia. Propp a repris et développé l'hypothèse ritualiste de Saintyves. Propp voit dans les contes populaires le souvenir des rites d'initiation totémiques. La structure initiatique des contes est évidente, et elle nous retiendra plus loin. Mais tout le problème est de savoir si le conte décrit un système de rites ressortissant à un stade précis de culture — ou si son scénario initiatique est « imaginaire », dans le sens qu'il n'est pas lié à un contexte historico-culturel, mais exprime plutôt un comportement anhistorique, archétypal de la psyché. Pour s'en tenir à un exemple, Propp parle d'initiations totémiques ; ce type d'initiation était rigoureusement fermé aux femmes ; or, le personnage principal des contes slaves est justement une femme : la Vieille Sorcière, la

Baba Jaga. Autrement dit, nous ne retrouverons jamais dans les contes le souvenir exact d'un certain stade de culture : les styles culturels, les cycles historiques y sont télescopés. Il n'y subsiste que les structures d'un comportement exemplaire, entendez : susceptible d'être vécu dans une multitude de cycles culturels et de moments historiques.

L'hypothèse de W. E. Peuckert, brillamment discutée par Jan de Vries (pp. 30 sq.), se heurte à des difficultés analogues. D'après ce savant, les contes se seraient constitués dans la Méditerranée orientale, durant l'époque néolithique : ils conserveraient encore la structure d'un complexe socio-culturel englobant le matriarcat, l'initiation et les rites de mariage caractéristiques des agriculteurs. Peuckert rapproche les épreuves imposées au héros d'un certain type de contes pour pouvoir épouser la fille du démon, avec les coutumes matrimoniales en vigueur chez les agriculteurs : pour obtenir son épouse, le prétendant doit moissonner un champ, bâtir une maison, etc. Mais, comme le remarque Jan de Vries, les épreuves ordonnées au mariage sont également attestées dans l'épopée (p. ex. *Râmâyana*) et dans la *saga* héroïque. Or, il est difficile d'intégrer la *saga*, poésie essentiellement aristocratique, dans l'horizon culturel des cultivateurs. Le rapport génétique : épreuves matrimoniales de type paysan-conte, ne s'impose donc pas. D'autre part, Peuckert cherche l' « origine » des contes dans le Proche-Orient protohistorique, en raison de son extraordinaire richesse économique et de l'épanouissement sans précédent qu'y ont connu les cultes de la fécondité et le symbolisme sexuel ; les analyses de Max Lüthi ont montré que l'érotique ne joue, au contraire, aucun rôle dans les contes.

Jan de Vries discute longuement l'hypothèse de C. W. von Sydow sur l'origine indoeuropéenne des contes merveilleux (pp. 48 sq., 60 sq.). Les difficultés d'une telle hypothèse sont si évidentes qu'elles dispensent d'y insister, et von Sydow lui-même a été amené à modifier ses vues. Il incline maintenant à reculer la « naissance » des contes plus avant encore dans le passé, et précisément dans la culture mégalithique pré-indo-européenne. Dans une étude récente. *Märchen und Megalithreligion* (*Paideuma*, V, 1950), Otto Huth s'est emparé de ce point de vue, et on regrettera que Jan de Vries n'ait pas jugé nécessaire de l'examiner. Selon Otto Huth, les deux motifs dominants des contes, le voyage dans l'au-delà et les noces de type royal, appartiendraient à la « religion mégalithique ». On s'accorde généralement à localiser le centre originaire de la culture mégalithique en Espagne et en Afrique du Nord occidentale ; de là, les vagues mégalithiques ont poussé jusqu'en Indonésie et en Polynésie. Cette diffusion à travers trois continents expliquerait, d'après Huth, l'énorme circulation des contes. Malheureusement, cette nouvelle hypothèse force d'autant moins la conviction qu'on ignore presque tout de la « religion mégalithique » protohistorique.

Le professeur de Vries passe assez rapidement sur les explications proposées par les psychologues, en soulignant surtout les contributions de Jung (pp. 34 sq.). Il accepte le concept jungien de l'archétype en tant que structure de l'inconscient collectif ; mais il rappelle, à juste titre, que le conte n'est pas une création immédiate et spontanée de l'inconscient (comme le rêve, par exemple) : c'est avant tout une « forme littéraire », comme le roman et le drame. Le psychologue néglige l'histoire des motifs folkloriques et l'évolution des thèmes littéraires populaires ; il est tenté de travailler avec des schémas abstraits. Ces reproches sont fondés. Quitte à ne pas oublier, évidemment, que le psychologue des profondeurs utilise une échelle qui lui est propre, et l'on sait que « c'est l'échelle qui crée le phénomène ». Pout ce qu'un folkloriste peut objecter à un psychologue, c'est que ses résultats ne résolvent pas *son* problème ; ils ne sont bons qu'à lui suggérer de nouvelles voies de recherche.

La deuxième partie du livre est consacrée aux vues personnelles de Jan de Vries. Une série d'heureuses analyses (pp. 38 sq.) démontrent que l'explication des *saga* (celle des Argonautes, celle de Siegfried) ne gît pas dans les contes, mais dans les mythes. Le problème du poème de Siegfried n'est pas de savoir comment il est sorti de bribes de légendes et de « motifs » folkloriques, mais comment d'un prototype historique a pu naître une biographie fabuleuse. L'auteur rappelle fort à propos qu'une *saga* n'est pas le conglomérat d'une poussière de « motifs » ; la vie du héros constitue un tout, de sa naissance à sa mort tragique (p. 125). L'épopée héroïque n'appartient pas à la tradition populaire ; elle est une

forme poétique créée dans les milieux aristo-
cratiques. Son univers est un monde idéal,
situé dans un âge d'or, pareil au monde des
Dieux. La *saga* côtoie le mythe, et non pas le
conte. Il est bien souvent difficile de décider
si la *saga* raconte la vie héroïsée d'un personnage historique, ou, au contraire, un mythe
sécularisé. Certes, les mêmes archétypes —
c'est-à-dire les mêmes figures et situations
exemplaires — reviennent indifféremment dans
les mythes, dans les *saga* et dans les contes.
Mais, tandis que le héros des *saga* finit d'une
manière tragique, le conte connaît toujours
un heureux dénouement (p. 156).

L'auteur insiste également sur une autre
différence, qui lui semble capitale, entre le
conte et la *saga* : celle-ci assume encore le
monde mythique, le conte s'en détache (p. 175).
Dans la *saga*, le héros se situe dans un
monde gouverné par les Dieux et le destin.
Par contre, le personnage des contes apparaît
émancipé des Dieux ; ses protecteurs et ses
compagnons suffisent à lui assurer la victoire.
Ce détachement, presque ironique, du monde
des Dieux s'accompagne d'une totale absence
de problématique. Dans les contes, le monde est
simple et transparent. Mais, observe Jan de
Vries, la vie réelle n'est ni simple ni transpa-
rente — et il se demande à quel moment historique l'existence n'était pas encore sentie
comme catastrophe. Il pense au monde homérique, à ce temps où l'homme commençait
déjà à se détacher des Dieux traditionnels,
sans chercher encore refuge dans les religions
des Mystères. C'est dans un tel monde — ou,
dans d'autres civilisations, dans une situation

spirituelle analogue — que le professeur de Vries est tenté de voir le terrain propice à la naissance des contes (p. 174). Le conte est, lui aussi, une expression de l'existence aristocratique et, à ce titre, se rapproche des *saga*. Mais leurs directions divergent : le conte se détache de l'univers mythique et divin, et « tombe » dans le peuple dès que l'aristocratie découvre l'existence en tant que problème et tragédie (p. 178).

Une discussion convenable de toutes ces questions nous mènerait trop loin. Certains résultats de Jan de Vries s'imposent : la solidarité de structure entre mythe, *saga* et conte, par exemple ; l'opposition entre le pessimisme des *saga* et l'optimisme des contes ; la progressive désacralisation du monde mythique. Quant au problème de l' « origine » des contes, sa complexité interdit de l'aborder ici. La principale difficulté réside dans l'équivoque des termes mêmes d' « origine » et de « naissance ». Pour le folkloriste, la « naissance » d'un conte se confond avec l'apparition d'une pièce littéraire orale. C'est un fait historique à étudier comme tel. Les spécialistes des littératures orales ont donc raison de négliger la « préhistoire » de leurs documents. Ils disposent de « textes » oraux, tout comme leurs collègues, les historiens des littératures, disposent de textes écrits. Ils les étudient et les comparent, retracent leur diffusion et leurs influences réciproques, à peu près comme font les historiens des littératures. Leur herméneutique vise à comprendre et à présenter l'univers spirituel des contes sans beaucoup se préoccuper de ses antécédents mythiques.

Pour l'ethnologue et pour l'historien des religions, au contraire, la « naissance » d'un conte en tant que texte littéraire autonome constitue un problème secondaire. D'abord, au niveau des cultures « primitives », la distance qui sépare les mythes des contes est moins nette que dans les cultures où il existe un profond écart entre la classe des « lettrés » et le « peuple » (comme ce fut le cas dans le Proche Orient antique, en Grèce, dans le Moyen Age européen). Souvent les mythes sont mélangés aux contes (et c'est presque toujours dans cet état que nous les présentent les ethnologues), ou encore ce qui revêt le prestige du mythe dans une tribu ne sera qu'un simple conte dans la tribu voisine. Mais ce qui intéresse l'ethnologue et l'historien des religions, c'est le comportement de l'homme à l'égard du sacré, tel qu'il ressort de toute cette masse de textes oraux. Or, il n'est pas toujours vrai que le conte marque une « désacralisation » du monde mythique. On parlerait plus justement d'un camouflage des motifs et des personnages mythiques ; et, au lieu de « désacralisation », il serait préférable de dire « dégradation du sacré ». Car, Jan de Vries l'a très bien montré, il n'y a pas solution de continuité entre les scénarios des mythes, des *saga* et des contes merveilleux. En outre, si dans les contes les dieux n'interviennent plus sous leurs propres noms, leurs profils se distinguent encore dans les figures des protecteurs, des adversaires et des compagnons du héros. Ils sont camouflés, ou, si l'on aime mieux, « déchus » — mais ils continuent de remplir leur fonction.

La coexistence, la contemporanéité des mythes

et des contes dans les sociétés traditionnelles, pose un problème délicat, sans être insoluble. On pense aux sociétés de l'Occident médiéval où les mystiques anthentiques sont noyés dans la masse des simples croyants et côtoient même certains chrétiens chez qui la désaffectation était si avancée qu'ils ne participaient qu'extérieurement au christianisme. Une religion est toujours vécue — ou acceptée et subie — sur plusieurs registres ; mais, entre ces différents plans d'expérience, il y a équivalence et homologation. L'équivalence se maintient même après la « banalisation » de l'expérience religieuse, après l'(apparente) désacralisation du monde. (Pour s'en convaincre, il suffit d'analyser les valorisations profanes et scientifiques de la « Nature » après Rousseau et la philosophie des lumières.) Mais on retrouve aujourd'hui le comportement religieux et les structures du sacré — figures divines, gestes exemplaires, etc. — aux niveaux profonds de la psyché, dans l' « inconscient », sur les plans de l'onirique et de l'imaginaire.

Ceci pose un autre problème, qui n'intéresse plus le folkloriste ni l'ethnologue, mais qui préoccupe l'historien des religions et finira par intéresser le philosophe et, peut-être, le critique littéraire, car il touche aussi, bien qu'indirectement, à la « naissance de la littérature ». Devenu en Occident, et depuis longtemps, littérature d'amusement (pour les enfants et les paysans) ou d'évasion (pour les gens de la ville), le conte merveilleux présente néanmoins la structure d'une aventure infiniment grave et responsable, car il se réduit, en somme, à un scénario initiatique : on retrouve toujours les épreuves initiatiques (luttes contre le monstre, obstacles en apparence insurmontables, énigmes à résoudre, travaux impossibles à accomplir, etc.), la descente aux Enfers ou l'ascension au Ciel, ou encore la mort et la résurrection (ce qui revient d'ailleurs au même), le mariage avec la Princesse. Il est vrai, comme l'a très justement souligné Jan de Vries, que le conte s'achève toujours par un happy end. Mais son contenu proprement dit porte sur une réalité terriblement sérieuse : l'initiation, c'est-à-dire le passage, par le truchement d'une mort et d'une résurrection symboliques, de la nescience et de l'immaturité à l'âge spirituel de l'adulte. La difficulté est de dire quand le conte a commencé sa carrière de simple histoire merveilleuse décantée de toute responsabilité initiatique. Il n'est pas exclu, au moins pour certaines cultures, que cela se soit produit au moment où l'idéologie et les rites traditionnels d'initiation étaient en voie de tomber en désuétude et où l'on pouvait « raconter » impunément ce qui exigeait, autrefois, le plus grand secret. Mais il n'est pas du tout certain que ce processus ait été général. Dans nombre de cultures primitives, où les rites d'initiation sont encore vivants, on raconte également des histoires de structure initiatique, et ceci depuis longtemps.

On pourrait presque dire que le conte répète, sur un autre plan et avec d'autres moyens, le scénario initiatique exemplaire. Le conte reprend et prolonge l' « initiation » au niveau de l'imaginaire. S'il constitue un amusement ou une évasion, c'est uniquement pour la conscience banalisée, et notamment pour la conscience de l'homme moderne ; dans la psyché profonde, les scénarios initiatiques conservent leur gravité et continuent à transmettre leur message, à opérer des mutations. Sans se rendre compte, et tout en croyant s'amuser, ou s'évader, l'homme des sociétés modernes bénéficie encore de cette initiation imaginaire apportée par les contes. On pourrait alors se demander si le conte merveilleux n'est pas devenu, très tôt, un « doublet facile » du mythe et du rite initiatiques, s'il n'a pas eu ce rôle de réactualiser, au niveau de l'imaginaire et de l'onirique, les « épreuves initiatiques ». Ce point de vue n'étonnera que ceux qui regardent l'initiation comme un comportement exclusif de l'homme des sociétés traditionnelles. On commence aujourd'hui à se rendre compte que ce que l'on appelle « initiation » coexiste à la condition humaine, que toute existence se constitue par une suite ininterrompue d' « épreuves », de « morts » et de « résurrections », quels que soient d'ailleurs les termes dont le langage moderne se sert pour traduire ces expériences (originairement religieuses).

Éléments de bibliographie.

Il n'est pas question de présenter et de discuter ici les différentes interprétations modernes du mythe ; le problème est hautement intéressant et mérite qu'on lui consacre tout un livre. Car l'histoire de la « redécouverte » du mythe au xxe siècle constitue un chapitre de l'histoire de la pensée moderne. On trouvera un exposé critique de toutes les interprétations, depuis l'antiquité jusqu'à nos jours, dans le riche et lumineux volume de Jan de Vries, *Forschungsgeschichte der Mythologie* (Karl Alber Verlag, Fribourg-Munich, 1961). Cf. aussi E. Buess, *Geschichte des mythischen Erkennens* (Munich, 1953).

Pour les différentes démarches méthodologiques — depuis l' « école astrale » jusqu'aux plus récentes interprétations ethnologiques du mythe — cf. les bibliographies enregistrées dans notre *Traité d'Histoire des Religions*, pp. 370 sq. Cf. aussi J. Henninger, « Le Mythe en Ethnologie » (*Dictionnaire de la Bible*, Supplément VI, col. 225 sq.) ; Joseph L. Seifert, *Sinndeutung des Mythos* (Munich, 1954).

On trouvera une analyse des théories actuelles du mythe dans J. Melville et Frances S. Herskowitz, « A Cross-Cultural Approach to Myth » (in : *Dahomean Narrative*, Evanston, 1958, pp. 81-122). Pour les rapports entre mythes et rituels, cf. Clyde Kluckhohn, « Myths and Rituals : A General Theory » (*Harvard Theological Review*, XXXV, 1942, pp. 45-79) ; S. H. Hooke, « Myth and Ritual : Past and Present » (in : *Myth, Ritual and Kingship*, édité par S. H. Hooke, Oxford, 1958, pp. 1-21) ; Stanley Edgar Hyman, « The Ritual View of Myth and the Mythic » (in : *Myth. A Symposium*, édité par Thomas A. Sebeok, Philadelphie, 1955, pp. 84-94).

Pour une interprétation structuraliste du mythe, cf. Claude Lévi-Strauss, « The Structural Study of Myth » (dans : *Myth. A Symposium*, pp. 50-66) et « La structure des mythes » (dans : *L'Anthropologie structurale*, Paris, 1958, pp. 227-255).

Une étude critique des quelques théories récentes, écrite dans la perspective du « storicismo assoluto », dans Ernesto de Martino, « Mito, scienze religiose e civiltà moderna » (*Nuovi Argomenti*, n° 37, mars-avril 1959, pp. 4-48).

On trouvera plusieurs articles sur le mythe dans les cahiers 4-6 de la revue *Studium Generale*, VIII, 1955. Cf. surtout W. F. Otto, « Der Mythos » (pp. 263-268) ; Karl Kerenyi, « Gedanken über die Zeitmässigkeit einer Darstellung der griechischen Mythologie » (pp. 268-272) ; Hildebrecht Hommel, « Mythos und

Logos » (pp. 310-316) ; K. Goldhammer, « Die Entmythologisierung des Mythus als Problemstellung der Mythologien » (pp. 378-393).

Une étude riche en aperçus nouveaux sur la structure et la fonction des mythes dans les sociétés archaïques a été publiée récemment par H. Baumann, « Mythos in ethnologischer Sicht » (*Studium Generale*, XII, 1959, pp. 1-17, 583-597).

Le volume *Myth and Mythmaking*, publié sous la direction de Henry A. Murray (New York, 1960), contient dix-sept articles sur les différents aspects du mythe, les rapports entre mythes et folklore, mythes et littérature, etc. Cf. aussi Joseph Campbell, *The Masks of God : Primitive Mythology* (New York, 1959).

Une redéfinition du mythe est présentée par Theodore H. Gaster, dans son étude « Myth and Story » (*Numen*, I, 1954, pp. 184-212).

Le passage de la pensée mythique à la pensée rationnelle a été étudié récemment par Georges Gusdorf, *Mythe et métaphysique* (Paris, 1953). Cf. aussi *Il Problema della demitizzazione* (Rome, 1961) et *Demitizzazione e Immagine* (1962), publiés sous la direction de Enrico Castelli ; Roland Barthes, *Mythologies* (Paris, 1958).

Cet ouvrage
a été achevé d'imprimer
sur les presses de l'Imprimerie Bussière
à Saint-Amand (Cher), le 31 janvier 1973.
Dépôt légal : 1er trimestre 1973.
No d'édition : 17696.
Imprimé en France.
(2023)